Boeken van Jorge Franco bij Meulenhoff

Paradijsvogels. Roman
Rosario. Roman

Jorge Franco

Rosario

ROMAN

Uit het Spaans vertaald door
Brigitte Coopmans

J • M • MEULENHOFF

IMMER • MET • MOED

De vertaler ontving voor deze vertaling een projectwerkbeurs
van de Stichting Fonds voor de Letteren.

Meulenhoff Editie 2137
www.meulenhoff.nl
ISBN 90 290 7337 3 / NUR 302

Gebed tot de Heilige Rechter

Als ze ogen hebben, laat ze me niet zien,
als ze handen hebben, laat ze me niet pakken,
als ze voeten hebben, laat ze me niet inhalen,
sta niet toe dat ze me in de rug verrassen,
sta niet toe dat ik een gewelddadige dood sterf,
sta niet toe dat mijn bloed vergoten wordt,
Gij die alles weet,
Gij kent mijn zonden, maar ook mijn geloof,
laat me niet in de steek,
Amen

I

Aangezien Rosario werd neergeschoten terwijl ze stond te zoenen, verwarde ze de pijn van de liefde met die van de dood. Maar die twijfel was snel verdwenen toen ze haar lippen losmaakte en het pistool zag.

'Er ging een enorme schok door m'n lichaam. Ik dacht dat het door die kus kwam...' zei ze onderweg naar het ziekenhuis zwakjes tegen me.

'Stil maar, Rosario,' zei ik, en ze kneep in mijn hand en vroeg me haar niet dood te laten gaan.

'Ik wil niet dood, ik wil niet dood.'

Hoewel ik bemoedigend op haar inpraatte, kon mijn gelaatsuitdrukking haar niet bedriegen. Zelfs stervende zag ze er beeldschoon uit, als een fatale godin lag ze dood te bloeden terwijl ze de operatiekamer werd binnengebracht. De snelheid van de brancard, de zwaaiende deur en de strenge orders van de verpleegster scheidden me van haar.

'Waarschuw mijn moeder,' hoorde ik nog.

Alsof ik wist waar haar moeder woonde. Niemand wist dat, zelfs Emilio niet, die haar zo goed kende en het geluk had gehad haar te bezitten. Ik belde hem op en vertelde het. Hij bleef zo stil dat ik een paar keer moest zeggen wat ik zelf niet geloofde, en door het vele herhalen om hem aan het praten te krijgen, kwam ik zelf met beide benen op de grond en besefte ik dat Rosario stervende was.

'We raken haar kwijt, jongen.'

Ik zei het alsof Rosario van ons allebei was, misschien was ze dat ook wel ooit geweest, al was het maar tijdens die ene uitglijder of in de eeuwige wens van mijn gedachten.

'Rosario.'

Ik blijf haar naam herhalen terwijl het ochtend wordt, terwijl ik wacht op Emilio, die vast niet komt, terwijl ik wacht tot er iemand uit de operatiekamer komt en iets zegt. Het wordt langzamer ochtend dan ooit, ik zie de lichtjes in de hooggelegen wijk waar Rosario ooit uit neerdaalde een voor een uitgaan.

'Kijk goed waar ik naartoe wijs. Daar boven die rij gele lichtjes, iets hoger, daar heb ik gewoond. Daar zal doña Rubi nu wel voor me zitten te bidden.'

Ik zag niets, alleen haar vinger die was uitgestrekt naar het hoogste gedeelte van de berg, gesierd met een ring waarvan ze niet had durven dromen dat ze er ooit zo een zou dragen, en haar bruine mestiezenarm met de geur van Rosario; haar zoals bijna altijd ontblote schouders, haar nietige truitjes en haar borsten, die net zo omhoogstaken als de wijzende vinger. Nadat ze de dood zo vaak heeft ontlopen, ligt ze nu op sterven.

'Ik ben niet kapot te krijgen,' zei ze op een dag. 'Ik ben net onkruid.'

Als er niemand naar buiten komt, leeft ze waarschijnlijk nog. Ik heb er al een paar keer naar gevraagd, maar niemand kan me helpen; er staat geen naam genoteerd, daar was geen tijd voor.

'Dat meisje met die schotwond.'

'Bijna iedereen komt hier met schotwonden binnen,' zei de receptioniste.

We dachten dat ze kogelbestendig was, onsterfelijk hoewel ze altijd met doden omringd was. Ineens overviel me de zekerheid dat we allemaal een keer aan de beurt kwamen, maar ik troostte me met wat Emilio altijd zei: ze heeft een kogelvrij vest onder haar huid.

'En onder haar kleren?'

'Stevig vlees,' antwoordde Emilio op mijn flauwe opmerking. 'En jij mag alleen maar kijken.'

We waren allemaal gek op Rosario, maar Emilio was de enige die de moed had – want toegegeven, het was niet alleen een kwestie van geluk. Je moest lef hebben om met Rosario in zee te gaan, en al had ik het ergens vandaan kunnen halen, dan nog had ik er niets aan gehad, want ik kwam te laat. Emilio is degene die haar echt heeft bezeten, die met haar vorige eigenaar om haar had gestreden, die zijn leven op het spel had gezet en de enige die haar had aangeboden om bij de onzen te komen. 'Ik vermoord hem, en daarna vermoord ik jou,' herinnerde ik me Ferneys dreigementen. Dat weet ik nog omdat ik het Rosario had gevraagd: 'Wat zei die Farley tegen je?'

'Ferney.'

'Die bedoel ik.'

'Dat hij eerst Emilio zou vermoorden en daarna mij,' legde Rosario uit.

Ik belde nog een keer naar Emilio. Ik vroeg hem niet waarom hij niet naar me toe kwam, hij had vast zo zijn redenen. Hij zei dat hij ook nog wakker lag en dat hij later zeker zou langskomen.

'Daar bel ik niet voor. Ik moet het telefoonnummer van Rosario's moeder hebben.'

'Weet je al iets?' vroeg Emilio.

'Nee. Ze zijn nog steeds binnen.'

'Maar wat... wat zeggen ze dan?'

'Niks, ze zeggen helemaal niks.'

'En heeft zij gezegd dat haar moeder moest worden gewaarschuwd?' vroeg Emilio.

'Dat zei ze voordat ze haar wegreden.'

'Wat raar,' zei Emilio. 'Voorzover ik weet, praatte ze niet meer met haar moeder.'

'Daar is niks raars aan, Emilio, het is echt menens nu.'

Rosario heeft altijd haar uiterste best gedaan om alles te vergeten wat ze achter zich liet, maar haar verleden is als een huis op wielen dat haar tot in de operatiekamer is gevolgd en zich een plekje verwerft tussen monitoren en zuurstofapparaten, waar ze is neergelegd in de hoop dat ze weer tot leven komt.

'Hoe zei u dat ze heette?'

'Heet,' verbeterde ik de verpleegster.

'Nou ja, goed, hoe heet ze?'

'Rosario.' Haar naam kwam er opgelucht uit.

'Achternaam?'

Rosario Tijeras, had ik moeten zeggen, want zo kende ik haar. Rosario de Schaar. Tijeras was echter niet haar achternaam maar eerder haar levensverhaal. Ze had tegen haar wil en tot haar grote ergernis een andere achternaam gekregen, maar wat ze nooit heeft ingezien, is wat voor een enorme dienst de lui uit haar buurt haar daarmee bewezen, want in dit land van hoerenzonen bevrijdden ze haar van een zware last door haar moeders achternaam door een bijnaam te vervangen. Later raakte ze eraan gewend, en uiteindelijk was ze zelfs blij met haar nieuwe identiteit.

'Alleen al met mijn achternaam maak ik mensen bang,' zei ze op de dag dat ik haar leerde kennen. 'Dat vind ik wel leuk.'

En het was te merken dat ze dat leuk vond, want ze sprak haar naam uit met nadruk op elke lettergreep en eindigde dan met een glimlach, alsof haar witte tanden haar tweede achternaam waren.

'Tijeras,' zei ik tegen de verpleegster.

'Tijeras?'

'Tijeras, ja,' herhaalde ik, terwijl ik met twee vingers de beweging imiteerde. 'Waar je mee knipt.'

Rosario Tijeras, noteerde ze met een dom gegiechel.

We raakten zo aan haar naam gewend dat het nooit in ons opkwam dat ze wel eens anders kon heten. In de donkere gangen voel ik Rosario's beklemmende eenzaamheid in deze wereld, zonder enig houvast aan een identiteit, zo anders dan wij, die tot in de verste uithoek van de aarde in ons verleden kunnen wroeten, met achternamen die goedkeurend gegrijns en zelfs vergiffenis voor onze wandaden afdwingen. Het leven liet Rosario nergens mee wegkomen, daarom had ze zo'n enorm afweersysteem om zich heen gecreëerd van kogels en scharen, van seks en straf, van genot en pijn. Haar lichaam misleidde ons, wij geloofden dat er de heerlijkste geneugten in te vinden waren, daar nodigde haar koffiebruine lijf ook toe uit; je kreeg zin om van haar te proeven, om haar zachte, schone huid te voelen, je had altijd zin om Rosario binnen te dringen. Emilio heeft ons nooit verteld hoe dat was. Hij kon het weten, want hij is vele malen met haar samen geweest, lange tijd, al die nachten dat ik ze vanuit de andere kamer hoorde kreunen, ze gedurende eindeloze uren hun langgerekte orgasmen hoorde uitgillen, en ik daar in die kamer ernaast, de herinnering aan mijn enige nacht met haar aanwakkerend, die dwaze nacht dat ik in haar val liep, één nacht met Rosario, die stierf van liefde.

'Hoe laat is ze binnengebracht?' vroeg de verpleegster, met de lijst in haar hand.

'Weet ik niet.'

'Hoe laat ongeveer?'

'Een uur of vier,' zei ik. 'En hoe laat zou het nu zijn?'

De verpleegster draaide zich om naar een wandklok. Halfvijf, noteerde ze.

De stilte op de afdelingen wordt continu door kreten verscheurd. Ik luister aandachtig of er een van Rosario afkomstig is. Geen kreet herhaalt zich, het zijn de laatste uitroepen van hen die de volgende ochtend niet meer zullen halen. Haar stem is er niet bij. Mijn hoop bloeit op als ik bedenk dat Rosario zich al uit heel veel situaties als deze heeft gered, verhalen waarin ik niet meespeelde. Ze vertelde erover zoals je een actiefilm die je leuk vindt navertelt, met dit verschil dat zij in haar bloederige verhalen de levensechte hoofdpersoon was. Maar een verteld en een doorleefd verhaal zijn twee heel verschillende dingen, en in het mijne was Rosario aan de verliezende hand. Het was heel wat anders haar te horen vertellen over de liters bloed die ze had laten vloeien, dan om haar zelf op de vloer te zien leegbloeden.

'Ik ben niet wie je denkt dat ik ben,' zei ze op een dag, in het begin.

'Wie ben je dan?'

'Dat is een lang verhaal, maatje,' zei ze met glazige ogen, 'maar dat hoor je nog wel.'

Al hebben we het over van alles en nog wat gehad, toch denk ik dat ik dat verhaal maar voor de helft te weten kwam; ik mocht willen dat ik het helemaal kende. Maar wat ze me heeft verteld, wat ik heb gezien en wat ik te weten heb kunnen komen, was genoeg om te beseffen dat het leven niet is wat men ons doet geloven, maar dat het de moeite waard is om geleefd te worden als we de garantie krijgen dat we op een zeker moment een vrouw als Rosario Tijeras tegenkomen.

'Waar komt dat "Tijeras" vandaan?' vroeg ik haar op een avond, met een glas sterke drank erbij.

'Van een vent die ik heb gecastreerd,' antwoordde ze terwijl ze naar het glas keek, dat ze vervolgens achteroversloeg.

13

Ik had weinig zin om er nog op door te gaan, dit keer althans, want later bekroop me altijd weer de nieuwsgierigheid en bestookte ik haar met vragen. Op sommige gaf ze antwoord, van andere zei ze dat we ze voor later zouden bewaren, maar ze beantwoordde ze allemaal, elke op zijn tijd; soms belde ze me zelfs midden in de nacht op en beantwoordde er een die nog was blijven liggen. Ze beantwoordde al mijn vragen, op één na, hoe vaak ik hem ook stelde.

'Ben je wel eens verliefd geweest, Rosario?'

Dan bleef ze starend in de verte zitten denken en antwoordde ze slechts met een glimlach, de mooiste van allemaal, waar ik sprakeloos van werd, waar de vragen van stokten in mijn keel.

'Wat stel jij achterlijke vragen, zeg,' zei ze soms ook.

Daar waar ze is binnengebracht, is het een komen en gaan van gejaagde artsen en verpleegsters die brancards met andere stervenden voortduwen en met een gelegenheidsgezicht tegen elkaar fluisteren. Ze lopen schoon naar binnen en komen met uniformen vol bloedspatten weer naar buiten. Ik probeer me voor te stellen welke die van Rosario zijn; bloed dat met duizend kilometer per uur rondsuist, zulk heet en giftig bloed zou anders moeten zijn dan dat van andere mensen. Rosario was van iets anders gemaakt, God had niets met haar schepping van doen.

'God en ik hebben een slechte relatie,' zei ze op een dag toen we het over God hadden.

'Geloof je niet in Hem?'

'Nee,' zei ze. 'Ik geloof niet zo in mannen.'

Eigenaardig aan Rosario was dat ze weinig lachte. Ze kwam niet verder dan een glimlach, zelden hoorden we van haar een schaterlach of enig ander geluid waarmee ze een emotie uitte. Moppen en de meest groteske situaties lieten haar koud en ook het zachte gekietel waarmee Emilio probeerde haar aan het lachen te maken, zijn kusjes op haar navel, zijn kriebelende nagels onder haar oksels of zijn tong die tot haar voetzolen over haar huid liep, deden haar allemaal niks. Ze schonk hooguit een glimlach, zo'n glimlach die licht geeft in het donker.

'Jezus, Rosario, wat een rij tanden.'

Iets anders waar we nooit achter kwamen, was haar leeftijd. Toen we haar leerden kennen – toen Emilio haar leerde kennen – was ze achttien, en toen ik haar na een maand of twee, drie voor het eerst zag, vertelde ze me dat ze twintig was; daarna hoorden we haar tweeëntwintig, vijfentwintig en later nog eens achttien zeggen, en zo bleef ze maar van leeftijd veranderen als van kleding, als van minnaars.

'Hoe oud ben je, Rosario?'

'Hoe oud schat je?'

'Een jaar of twintig.'

'Dat ben ik.'

Ze leek ook echt alle leeftijden te hebben waarover ze loog. Soms leek ze een meisje, veel jonger dan ze meestal beweerde, amper een puber. Andere keren was ze op en top vrouw, veel ouder dan ergens in de twintig, veel ervarener dan wij allemaal bij elkaar. Het fataalst en vrouwelijkst zag Rosario eruit als ze de liefde bedreef.

Eén keer zag ze er oud en afgeleefd uit, in de tijd van de drank en de *baʒooka*, vel over been was ze, uitgemergeld, moe alsof ze alle jaren van de wereld met zich meezeulde, kromgebogen. Emilio had ze er ook in meegesleurd, de arme jongen ging er bijna aan onderdoor. Hij gebruikte net zoveel als zij, en ze kwamen er pas weer bovenop nadat ze heel diep waren gegaan. Ze had er een vermoord in die tijd, niet met een schaar dit keer, maar met een kogel. Ze was gewapend, half doorgedraaid en paranoïde, ze werd achtervolgd door schuldgevoelens, en Emilio vluchtte met haar naar het huisje in de bergen, waar ze op de drugs en de alcohol leefden.

'Wat is er met jullie gebeurd, Emilio?' was het eerste wat ik kon uitbrengen.

'We hebben een vent vermoord,' zei hij.

'"We" is wat veel gezegd,' zei zij met een droge mond en een dikke tong. 'Ík heb hem vermoord.'

'Maakt niet uit,' zei Emilio weer. 'Wat een van ons doet, is zaak van ons allebei. Rosario en ik hebben een vent vermoord.'

'Wie dan, in godsnaam?' vroeg ik kwaad.

'Weet ik niet,' zei Emilio.

'Ik ook niet,' zei Rosario.

We hebben ook nooit geweten hoeveel ze er vermoord had. We wisten dat ze er toen we haar leerden kennen al meerdere op haar conto had staan en dat ze er in de tijd dat ze met ons optrok ook hier en daar wat had omgelegd, zoals zij dat noemde. Maar ik weet niet of ze in de drie jaar dat we haar niet meer hebben gezien tot vanavond, toen ik haar halfdood opraapte, er tijdens een van haar hartstochtelijke zoenen nog meer heeft 'omgelegd'.

'Hebt u de vent gezien die haar heeft neergeschoten?'

'Het was heel donker.'

'Is hij opgepakt?' wilde de verpleegster ook nog weten.

'Nee,' antwoordde ik. 'Meteen nadat hij haar had gekust, is hij weggerend.'

Elke keer als Rosario er een had vermoord, werd ze dik. Doodsbang sloot ze zich op om te eten, wekenlang kwam ze de deur niet uit, ze vroeg om snoep, toetjes en at alles wat er maar voorbijkwam. Soms zag iemand haar naar buiten gaan, maar even later kwam ze dan beladen met eten weer terug; ze sprak met niemand, maar als je Rosario dikker zag worden, wist je dat ze in de problemen zat.

'Dit hier zijn striae.' Ze liet ons die op haar buik en benen zien. 'Dat komt omdat ik heel vaak dik ben geweest.'

Een maand of drie, vier na de misdaad stopte ze weer met eten en begon ze af te vallen. Ze borg de joggingpakken waarmee ze haar kilo's verhulde weer op en keerde terug naar haar strakke spijkerbroeken, haar topjes, haar blote schouders. Ze was weer zo mooi als je je haar altijd herinnert.

Toen ik haar vannacht tegenkwam was ze slank, en ik dacht aan een rustige, herstelde Rosario die haar turbulente leven achter zich had liggen, maar toen ik haar slap

naar de vloer zag zakken, was ik meteen uit de droom geholpen.

'Als klein meisje was ik al heel stoer,' zei ze altijd
trots. 'De juffrouwen op school waren bang voor mij. Ik
heb er eens een in haar gezicht gekrast.'

'En wat hebben ze toen met je gedaan?'

'Ik werd van school getrapt. Ze zeiden ook dat ze me
in de gevangenis zouden stoppen, een meisjesgevange-
nis.'

'En dat allemaal vanwege een kras?'

'Een kras met een schaar,' verduidelijkte ze.

De schaar was een instrument waar ze dagelijks mee
leefde, haar moeder was naaister. Daarom was ze eraan
gewend er thuis altijd twee of drie om zich heen te hebben. Bovendien zag ze dat haar moeder ze niet alleen gebruikte om er stof, maar ook om er haar en nagels mee te
knippen, om er kip en ander vlees mee te snijden en niet
zelden om er haar man mee te bedreigen. Zoals de meeste
mensen uit de sloppenwijk waren haar ouders van het
platteland gekomen op zoek naar wat iedereen zoekt, en
toen ze dat niet vonden, hadden ze zich in het hogere gedeelte van de stad gevestigd om de kost bij elkaar te
scharrelen. Haar moeder had een baantje gevonden als
inwonende hulp in de huishouding met de zondagen vrij
om bij haar kinderen te zijn en haar echtelijke plicht te
vervullen. Ze was verslaafd aan soaps en keek er in het
huis waar ze werkte zo veel naar dat ze werd ontslagen.
Maar ze had weer geluk en vond een baan overdag, waardoor ze thuis kon slapen en in bed naar de soaps kon kij-

ken. Van *Esmeralda*, *Topacio* en *Simplemente María* leerde ze dat je de armoede te boven kon komen door naailessen te nemen. Het was in die tijd alleen moeilijk om een plekje te krijgen in het weekend, want alle huisbediendes in de stad liepen met dezelfde droom rond. Maar het naaien was geen uitweg uit de armoede, voor haar niet en ook voor al die andere vrouwen niet. De enigen die er rijk van werden, waren de eigenaressen van de coupeuseopleidingen.

'De man die bij mijn moeder woont is niet mijn vader,' vertelde Rosario ons.

'En waar is de jouwe dan?' vroegen Emilio en ik.

'Geen flauw idee,' zei Rosario nadrukkelijk.

Emilio had me gewaarschuwd het niet over haar vader te hebben, maar die dag was ze er zelf over begonnen. De drank maakte haar nostalgisch, en ik denk dat ze emotioneel werd toen ze ons over onze ouders hoorde praten.

'Het moet heel maf zijn om een vader te hebben.' Zo begon ze.

Daarna liet ze langzaam stukjes van haar verleden los. Ze vertelde dat de hare hen in de steek had gelaten toen zij geboren werd.

'Dat zegt doña Rubi tenminste,' zei ze. 'Maar ik geloof haar natuurlijk voor geen meter.'

Doña Rubi was haar moeder. Maar wie je echt voor geen meter kon geloven, was Rosario zelf. Ze had de gave te overtuigen zonder er al te veel bij te hoeven verzinnen, maar als er ook maar enige twijfel rees omtrent haar 'waarheid', ging ze huilen om haar leugen met medelijden te verzegelen.

'Ik zit met een vrouw van wie ik niks weet,' zei Emilio tegen me, 'helemaal niks. Ik weet niet waar ze woont, wie haar moeder is, of ze broers en zussen heeft of niet, niks over haar vader, niks over wat ze doet. Ik weet niet eens hoe oud ze is, want tegen jou zei ze wat anders dan tegen mij.'

'Wat moet je dan met haar?'

'Je kunt beter aan haar vragen wat ze met mij moet.'

Rosario kon iedereen stapelgek krijgen. Mij gebeurde het niet omdat ze me de kans niet gaf, maar Emilio... In het begin was ik jaloers op hem, ik kon het niet uitstaan dat hij zoveel geluk had, hij kreeg altijd de beste en de mooiste terwijl ik het moest doen met de vriendinnen van Emilio's vriendinnen, minder knap en minder sexy, want naast een mooie vrouw loopt bijna altijd een lelijke. Maar omdat ik wist dat zijn avontuurtjes nooit lang duurden, wachtte ik met mijn lelijkerd rustig af tot hij van vrouw wisselde om hetzelfde te doen en maar te zien of ik wat beters kreeg. Maar met Rosario was het anders. Haar wilde hij niet inwisselen en ik wilde geen een vriendin van haar, ik was ook gek op Rosario. Maar ik moet toegeven, ik was banger dan Emilio, want met haar ging het niet om smaak, liefde of geluk, met haar was het een kwestie van lef. Je moest een flink stel kloten hebben om met Rosario Tijeras in zee te gaan.

'Die vrouw hoef je niks te vertellen,' zeiden wij tegen Emilio.

'Dat vind ik nou juist zo leuk aan haar.'

'Ze is met heel heftige lui omgegaan, dat weet je,' gingen we door.

'Nu gaat ze met mij om. Dat is het belangrijkste.'

Ze trok op met lui die nu in de gevangenis zitten, met de keiharde jongens, lui waar men lang achteraan had gezeten, voor wie beloningen waren uitgeloofd, gasten die zich eerst hadden overgegeven maar daarna de benen hadden genomen, en met veel jongens die nu 'tussen zes plankjes' liggen. Zij hadden haar uit de sloppenwijk gehaald, haar het moois laten zien wat je met geld kon doen, hoe de rijken leefden, hoe je kreeg wat je wilde, zonder uitzondering, want alles is te krijgen, als je maar wilt. Zij hadden haar bij ons gebracht, ze hadden haar naar voren geschoven alsof ze wilden zeggen: kijk eens, schijtbakken, wij hebben ook lekkere vrouwen en geiler dan die van jullie, en zij liet zich zonder blikken of blozen tonen, ze wist wie we waren, de rijkelui, de brave jongens, en ze zag het wel zitten en zette haar zinnen op Emilio, die het allemaal slikte, zonder te kauwen.

'Die vrouw maakt me gek,' zei Emilio keer op keer, half bezorgd, half gelukkig.

'Die vrouw is een ongeleid projectiel,' zei ik dan, half bezorgd, half jaloers.

We hadden allebei gelijk. Rosario is zo'n vrouw die gif en tegengif tegelijk is. Wie ze genezen wil, geneest ze, wie ze doden wil, doodt ze.

2

Sinds Rosario het leven kent, heeft ze ermee gevochten. Nu eens wint Rosario, dan weer haar rivaal en soms spelen ze gelijk. Maar als je erom zou moeten wedden, kon je met je ogen dicht het einde voor je zien: Rosario gaat het verliezen. Ze zou vast tegen me zeggen, zoals ze altijd deed, dat het leven het van ons allemaal wint, dat het ons hoe dan ook doodt, en ik zou haar moeten zeggen dat dat zo was, dat ze gelijk had, maar dat op punten verliezen één ding is en verliezen door een knock-out heel wat anders.

Hoe vroeger iemand met seks in aanraking komt, hoe groter de kans dat het misgaat in zijn leven. Daarom blijf ik erbij dat Rosario verliezend ter wereld kwam, want ze werd veel te jong verkracht, op haar achtste, als je nog niet weet waar dat daar tussen je benen goed voor is. Ze wist niet dat ze haar daar konden raken, op die plek waarvan ze op school zeiden dat ze hem goed moest verzorgen en elke dag met zeep moest wassen. Precies daar, waar het het zeerst doet, bracht een van de vele mannen die bij haar moeder hebben gewoond op een nacht de eerste pijn van haar leven in Rosario toen hij op haar klom, zijn hand voor haar mond hield en haar beentjes van elkaar deed.

'Acht jaartjes nog maar,' herinnerde ze zich woedend. 'Dat zal ik nooit vergeten.'

Het schijnt dat het niet bij die ene nacht was gebleven, want de schoft kreeg de smaak van zijn schanddaad te pakken. En naar Rosario me vertelde, bleef hij haar opzoeken toen doña Rubi al een ander had, thuis, op school, bij de bushalte, tot ze er niet langer meer tegen kon en alles aan haar broer vertelde, de enige die schijnbaar echt van haar hield.

'Johnefe regelde het allemaal zonder verder iets te zeggen,' zei Rosario. 'Een vriend van hem heeft me dat verteld toen hij al was vermoord.'

'En wat hebben jullie met die vent gedaan?'

'Die vent... Nou, die was wel uitgeneukt.'

Hoewel de vent van zijn verderfelijke wapen was beroofd, ging bij haar de pijn nooit meer weg, het was eerder zo dat hij van plaats veranderde toen hij naar haar ziel opsteeg.

'Acht jaartjes nog maar,' herhaalde ze. 'Wat een gore rotstreek.'

Doña Rubi wilde het verhaal niet geloven toen Johnefe het haar woedend vertelde. Ze had de irritante gewoonte om haar exen te verdedigen en de man met wie ze op dat moment was aan te vallen. Die aloude gewoonte van vrouwen om de man te willen die ze niet hebben.

'Dat zijn praatjes van de kleine, ze heeft al een veel te grote fantasie,' zei doña Rubi.

'U hebt hem zelf te groot, mama,' antwoordde Johnefe woest. 'En dan heb ik het niet over uw fantasie.'

Hij hield van Rosario omdat ze zijn enige echte zusje was, 'kinderen van dezelfde papa en dezelfde mama', zo beweerde hun moeder althans. Zij vonden het raar dat er zo'n groot leeftijdsverschil tussen hen zat, er was voorzover bekend geen man met wie de vrouw het zo lang had uitgehouden. Maar ondanks die twijfels was Rosario de enige die hij als zus accepteerde en ook zo noemde, de anderen waren gewoon 'de kinderen van doña Rubi'.

'Hoeveel broers en zussen heb je eigenlijk, Rosario?' vroeg ik haar toevallig eens.

'Poeh! Ik zou niet weten met hoeveel we nu zijn,' zei ze, 'want toen ik al weg was, hoorde ik dat doña Rubi gewoon doorging met kindertjes krijgen. Alsof ze wat had om ze van te onderhouden.'

Rosario ging met elf jaar het huis uit. Er begon een langdurige zwerftocht waarbij ze nooit langer dan een jaar op dezelfde plek kon blijven. Johnefe was de eerste die haar in huis nam. Ze was van de laatste school gestuurd waar ze haar hadden durven aannemen ondanks het verhaal van die enorme kras en nog wat soortgelijke overtredingen; de laatste echter – een hele ochtend lang een juffrouw gijzelen en die met woeste halen het haar afknippen – vond geen genade meer, maar leidde tot nieuwe dreigementen om haar naar een opvoedingsgesticht te sturen.

'Als ze je in de gevangenis niet willen hebben,' zei doña Rubi buiten zichzelf van woede, 'dan in dit huis ook niet. Je kan nu meteen ophoepelen.'

Rosario nam blij en opgelucht haar toevlucht tot haar broer. Niemand twijfelde eraan dat ze meer van hem hield dan van haar moeder, meer dan van wie ook ter wereld.

'Zelfs nog meer dan van Ferney,' zei ze trots.

Ferney was een vriend van Johnefe, zijn beste maatje en lid van dezelfde bende. Ze waren van dezelfde leeftijd, een jaar of vijf ouder dan Rosario. Ze had altijd van hem gehouden: vanaf het moment dat ze hem zag, wist ze dat Ferney een kameraad was met wie je kon zondigen.

'Ik had nooit kunnen bedenken dat ik nog eens een rivaal in de sloppenwijken zou hebben,' zei Emilio.

'Ze vermoorden je,' waarschuwden we hem tevergeefs.

'Eerst vermoorden ze hem. Let maar op.'

Toen Emilio Rosario leerde kennen, was ze al niet meer met Ferney. Ze had al een tijd daarvoor haar buurt en haar mensen de rug toegekeerd. De keiharde jongens hadden haar in een luxe flat gezet, heel dicht bij de onze trouwens, ze hadden haar een auto gegeven, een bankrekening en alles wat ze maar wilde. Maar Ferney bleef haar beschermengel, haar geheime minnaar, haar toegewijde dienaar, de vervanger van haar dode broer. Ferney werd tevens de kopzorg van Emilio en Emilio het steentje in Ferneys schoen. Hoewel ze elkaar maar een enkele keer zagen, sloten ze een vijandschap waarvan Rosario de boodschapster werd. Zij bracht de wederzijdse haatbetuigingen over.

'Zeg maar tegen die teringlijer dat ie moet oppassen,' liet Ferney doorgeven.

'Zeg maar tegen die teringlijer dat ik heel goed op mezelf pas,' liet Emilio doorgeven.

'En waarom schieten jullie elkaar niet gewoon overhoop en laat je mij met rust,' zei Rosario tegen hen. 'Ik ben het spuugzat met dat heen-en-weergeloop.'

Rosario mopperde wel, maar eigenlijk had ze de strijd altijd wel leuk gevonden. In zekere zin had ze hem zelf het meest in de hand gewerkt: zij was degene die de berichten over en weer doorspeelde en die het heerlijk vond om met haar leugens te stoken.

Toen Ferney uiteindelijk werd vermoord, dachten we dat Rosario kwaad op ons zou zijn, vooral op Emilio, die hem zo diep haatte, maar nee, dat was niet zo. Je wist nooit wat je van Rosario moest verwachten.

'De politie zoekt u,' zei een zuster ineens tegen me.

'Mij?' vroeg ik, met mijn gedachten nog bij Ferney.

'U hebt toch die vrouw met die schotwond binnengebracht?'

'Rosario? Ja, dat was ik.'

'Loopt u dan even naar buiten, want ze willen met u praten.'

Buiten stond minstens een dozijn smerissen. Even dacht ik dat er een hele politieoperatie voor ons op touw was gezet, net als in die goeie oude tijd dat ik met Emilio en Rosario meeging in hun waanzin.

'Niet schrikken,' zei de zuster toen ze mijn gezicht zag. 'In het weekend zijn hier meer politieagenten dan artsen.'

Ze wees me degenen aan die met onze zaak belast waren: twee lijzige agenten met al even lijzige gezichten en uniformen. Met hun aangeleerde onverschilligheid draaiden ze hun vragen af, alsof ik de crimineel was en niet zij. Waarom hebt u haar vermoord, waarmee hebt u geschoten, wie was de dode, wat voor verwantschap of relatie had ze met u, waar was het moordwapen, waar waren mijn handlangers, of ik dronken was, dat ik onder arrest stond en als verdachte met ze mee moest.

'Ik heb niemand vermoord en ook niet geschoten, er is geen dode want ze leeft nog, ze heet Rosario en is een vriendin van me, ik heb geen wapen en al helemaal geen moordwapen, ik heb geen handlangers want iemand anders heeft geschoten, dronken ben ik ook niet meer want van de schrik was ik op slag nuchter, en in plaats van mij al deze onzin te vragen en te zoeken waar u niet wezen moet, kunt u er beter voor zorgen dat u degene oppakt die dit allemaal heeft veroorzaakt,' zei ik.

Ik draaide me om, onverschillig voor wat ze zouden doen. Ze riepen naar me dat ik maar niet moest denken dat ik een flinke jongen was en dat we elkaar nog wel terug zouden zien. Ik liep terug naar mijn schemerige hoekje, dichter bij haar.

'Rosario,' bleef ik maar herhalen, 'Rosario.'

Ik heb mijn geheugen moeten pijnigen om me te herinneren waar en wanneer we haar voor het eerst hadden gezien. De precieze datum weet ik niet meer, een jaar of zes geleden misschien, maar de plek nog wel. Het was in Acuarius, op een vrijdag of een zaterdag, de dagen waarop we er altijd waren. De discotheek was een van de vele plekken waar de lui van onder die begonnen op te klimmen en wij van boven die neerwaarts gingen, elkaar tegenkwamen. Zij hadden nu geld om uit te geven op de plekken waar wij lieten opschrijven, ze deden nu zaken met de onzen. Financieel gezien stonden we op gelijke hoogte, ze droegen dezelfde kleren als wij, reden in duurdere auto's, hadden meer drugs en trakteerden ons – dat was hun grootste aantrekkingskracht –, ze waren link, roekeloos, ze dwongen respect af; ze waren wat wij nooit geweest waren maar diep in ons hart altijd hadden willen zijn. We zagen achter hun broekriemen hun wapens zitten die de bobbel in hun broek groter maakten, ze lieten ons op allerlei manieren zien dat ze meer man en veel stoerder waren dan wij. Ze flirtten met onze vrouwen en lieten ons die van hen zien. Ongeremde vrouwen, net zo recht voor z'n raap als zij, onvoorwaardelijk in hun overgave, geile halfbloedjes met gespierde benen van al dat opklimmen tegen de hellingen van hun wijken. Ze waren meer van deze grond dan die van ons, ze behaagden meer en zeurden minder. Onder hen was Rosario.

'Hoe ben je verliefd op haar geworden?' vroeg ik Emilio.

'Zodra ik haar zag was ik verkocht.'

'Ik weet dat je meteen op haar viel toen je haar zag, maar ik bedoel wat anders, verliefd worden, weet je wel?'

Emilio dacht na. Ik weet niet of hij probeerde te begrijpen wat ik zei of dat hij zocht naar dat ene moment waarop je niet meer terug kunt.

'Ik weet het alweer,' zei hij. 'Op een avond toen we waren wezen stappen, zei Rosario dat ze honger had en gingen we hotdogs eten bij zo'n karretje op straat, en weet je wat ze vroeg? Een hotdog zonder worst.'

'En?' Ik wist niets anders te vragen.

'Hoezo "en"? Daar word je toch verliefd op?'

Ik weet niet of een hotdog zonder worst iemand het hoofd op hol kan brengen, maar wat ik wel zeker weet, is dat er duizend redenen zijn om verliefd te worden op Rosario. De mijne kan ik niet nader benoemen, er was er geen in het bijzonder waardoor ik haar aanbad, ik denk dat ze het alle duizend samen waren.

'Vind jij Rosario leuk?' vroeg Emilio.

'Ik? Ben je gek,' loog ik.

'Je bent zo vrolijk als je bij haar bent.'

'Dat wil niks zeggen,' loog ik weer. 'Ik mag haar heel graag, we zijn heel goeie vrienden. Dat is alles.'

'En waar hebben jullie het de hele dag over?' vroeg Emilio, met een ondertoontje dat me niet aanstond.

'Nergens.'

'Nergens?' vroeg hij weer, en het ondertoontje zwol aan.

'Nou gewoon, over dingen, man, van alles wat.'

'Ik vind het maar raar.'

'Wat is daar raar aan?' vroeg ik.

'Nou, met mij praat ze nergens over.'

Rosario en ik konden een hele nacht doorpraten, en ik

lieg niet als ik zeg dat we het over van alles en nog wat hadden. Over haar, over mij, over Emilio. De woorden bleven maar komen, we kregen geen slaap of honger wanneer we zaten te kletsen, de uren vlogen voorbij zonder dat we het in de gaten hadden, zonder dat ons gesprek eronder leed. Rosario keek je in de ogen als ze praatte, ze ving me erin, hoe onnozel het onderwerp ook was. Met haar donkere blik bracht ze me naar het diepst van haar hart, aan haar hand leidde ze me langs de heftige episodes uit haar leven, elke blik en elk woord waren een reis die ze met mij alleen maakte.

'Als ik je toch zou vertellen,' zei ze voordat ze me alles vertelde.

Ze sprak met haar ogen, met haar mond, met haar hele gezicht, ze sprak met haar ziel wanneer ze met mij praatte. Ze greep mijn arm stevig vast om iets te benadrukken of legde haar ranke hand op mijn bovenbeen wanneer ze het moeilijk kreeg. Haar verhalen waren niet makkelijk. Vergeleken bij die van haar waren de mijne sprookjes, en terwijl in die van mij Roodkapje vrolijk bij haar grootmoeder terugkwam, vrat het meisje bij haar de wolf, de jager en haar grootmoeder op en slachtte Sneeuwwitje de zeven dwergen af.

Er bleef bijna niets onbesproken tussen Rosario en mij. Vele jaren wijdden we uren en uren aan onze verhalen, waarbij zij met haar blik mijn stem volgde en ik me verloor in haar woorden en haar donkere ogen. We hadden het over van alles en nog wat, behalve over de liefde.

'Is ze uw vriendin?' vroeg een verpleegster die niets te doen had.

'Wie? Rosario?'

'De jongedame die u hier gewond hebt binnengebracht.'

Ik ben er nooit helemaal achter gekomen wat voor relatie ik met Rosario had. Iedereen wist dat we heel goed bevriend waren, misschien wel meer dan normaal, zoals velen zeiden, maar we gingen nooit verder dan wat de mensen zagen. Nou ja, op één nacht na dan, die nacht, mijn enige nacht met Rosario Tijeras. Voor het overige waren we gewoon twee goede vrienden die hun levens voor elkaar openstelden om zichzelf te laten zien zoals ze waren. Twee vrienden die, en dat zie ik nu pas, niet zonder elkaar konden, die elkaar door al dat samenzijn niet meer konden missen, die als vrienden zoveel van elkaar hielden dat er eentje méér wilde, meer dan een vriendschap hebben kan. Want om een vriendschap te behouden is alles geoorloofd, behalve haar verraden door liefde in het spel te brengen.

'Maatje,' noemde Rosario me. 'Mijn maatje.'

Na al die jaren die ik met haar heb doorgebracht, zijn twee dingen me nog niet duidelijk: de vraag die ze nooit beantwoordde, en wat er gebeurd was als Emilio niet tussen ons in had gestaan. Ik denk nu dat er misschien niets anders was gebeurd, en dat zeg ik vanwege die absurde gewoonte van vrouwen om zich niet te binden aan de man van wie ze houden, maar aan de man waar ze toevallig zin in hebben.

'Rosario vindt jou leuk,' hield Emilio vol.

'Klets toch niet,' hield ik vol.

'Het is gewoon heel raar.'

'Wat is er zo raar?'

'Dat ze niet naar mij kijkt zoals ze naar jou kijkt.'

3

Een buurman wat hoger de berg op, aan de rand van de wijk, was Rosario Tijeras' eerste slachtoffer. Vanwege hem had ze haar bijnaam gekregen en met hem leerde ze dat ze voor zichzelf kon opkomen, zonder de hulp van Johnefe of Ferney. Door hem leerde ze dat het leven zijn duistere kant had en dat die haar ten deel was gevallen.

'Ik was die dag naar het centrum gegaan om kleren te kopen met wat flappen die ik van Johnefe had gekregen. Gloria ging met me mee winkelen. Ze was op de terugweg het eerst thuis omdat ze wat lager woonde, dus liep ik alleen verder. Je hoort altijd een hoop verhalen, maar ik vond het nooit eng om alleen door die straten te lopen. Ik had nooit gedacht dat ze mij als zus van Johnefe iets zouden doen. Maar toen ik bijna thuis was, kwamen er twee kerels van boven aangelopen, uit de bende van Mario Malo, een gozer die iedereen uit de weg ging, behalve Johnefe. Daarom dacht ik dat ook zij me niks zouden doen, maar die avond deden ze dat dus wel. Het was heel donker en ik herkende er maar eentje, die ze Cachi noemen, de ander zag ik niet goed. Ze sleurden me met z'n tweeën een greppel in terwijl ik gilde en om me heen trapte, maar je weet hoe dat gaat daar, hoe harder je gilt, hoe banger de mensen worden en hoe beter ze zich opsluiten. Nou, ze hielpen dus eerst m'n jurk naar de mallemoeren en daarna mij. Die ene hield me vast met zijn hand voor mijn mond en Cachi deed wat hij deed. Toen die ander aan de beurt was, kon ik gillen, want hij moest me loslaten om op me te gaan liggen, en een paar lui hoorden me en kwamen kijken, maar die twee hufters renden weg door de greppel. Je snapt wel hoe ik bij mijn broer aankwam. Ik was helemaal stuk en brulde als een idioot. Maar het was Johnefe die pas echt doordraaide toen hij me zag. Hij vroeg wat er gebeurd was, wie me dat had aangedaan want dan zou hij die klootzak kapotschieten, maar ik zei niks, ik wist dat het de lui van Mario Malo waren, dat er een keiharde oorlog zou uitbreken als ik mijn mond open zou trekken en dat ze makkelijk Johnefe konden vermoorden. Maar hij bleef doorvragen, hij zei dat hij me zou vermoorden als ik het niet zou vertellen, en ik zei dat hij dat dan maar moest doen want dat ik ze niet had gezien, dat die lui misschien wel ergens anders vandaan kwamen.'

Rosario onderbrak haar verhaal en staarde naar een vast punt op de tafel, ik keek de andere kant op, want ik wist niet waar ik kijken moest. Daarna zag ik dat ze haar schouders ophaalde en naar me glimlachte.

'En toen?' durfde ik te vragen.

'Toen? Niks. Ik was nog een hele tijd geen reet waard, en Johnefe praatte niet met me, hij was woest dat ik hem niet had verteld wie het waren, maar ik wilde niet dat hem iets overkwam, met dat van mij hadden we wel genoeg. Johnefe heeft alleen nooit geweten dat ik daarna wraak heb kunnen nemen. Moet je je voorstellen, een halfjaar later of zo kom ik, op een dag dat ik bij doña Rubi op bezoek ging, Cachi op straat tegen. Ik schrok me kapot, maar hij herkende me blijkbaar niet. Ik denk dat hij die ene avond mijn gezicht niet goed had gezien, want ik weet dat die lui behoorlijk paranoia worden als ze iemand iets hebben geflikt, omdat ze bang zijn dat iemand ze zal verlinken of ze terug gaat pakken. Maar weet je wat hij deed? Hij begon met me te flirten en tegen me aan te zeveren. Hoe vind je die dan?'

'En toen?'

'En toen? Nou, elke keer als ik naar doña Rubi ging, kwam ik hem tegen, en toen ik niet meer bang voor hem was, toen ik had besloten dat ik die gozer terug moest pakken, begon ik zijn spelletje mee te spelen en terug te giechelen en te flirten tot hij zich helemaal het mannetje voelde, en na een tijdje, een maand of zo, op een dag toen doña Rubi niet thuis was, zei ik tegen hem dat hij binnen kon komen, dat mijn moeder er niet was. Je hebt geen idee hoe ver die ogen opengingen. Maar ik wist allang wat ik ging doen natuurlijk, dus ik nam hem mee naar mijn vroegere kamer, zette een muziekje op, ik liet me kusjes geven en me aanraken waar hij me eerst had misbruikt. Ik zei dat hij zijn kleren uit moest doen en braaf naast me moest komen liggen, en ik begon aan z'n je-weet-wel te zitten en hij deed zijn ogen dicht en zei dat hij het niet kon geloven, zo heerlijk, en in één keer haalde ik doña Rubi's schaar tevoorschijn die ik onder het kussen had verstopt en tjak! ik zette hem midden in zijn ballen.

'Nee!' riep ik uit.

'Jawel, kun je nagaan. Die gozer begon als een idioot te krijsen, maar ik krijste nog veel harder tegen hem dat hij maar eens terug moest denken aan die avond bij de greppel, dat hij maar eens goed naar me moest kijken zodat hij mijn gezicht niet zou vergeten, en ik begon hem overal met die schaar te steken en die gozer rende weg terwijl het bloed eruit stroomde, zonder kloten en zonder kleren, en de mensen op straat keken amper naar hem om.'

'En wat toen?'

'Wat toen? Ik heb hem niet meer gezien en ook niks meer over hem gehoord; doña Rubi werd ook nog hysterisch van die bloederige toestand die ik thuis had achtergelaten en zei dat ze me daar niet meer wilde zien.'

'En hoe oud was je toen dat allemaal gebeurde, Rosario?'

'Ik was net dertien, dat zal ik nooit vergeten.'

Altijd als Rosario een verhaal vertelde, was het alsof ze het opnieuw beleefde. Even fel als op het moment zelf sperde ze haar ogen open van verbazing of gebaarde ze angstig met haar handen alsof het allemaal net gebeurd was. Ze haalde de haat, de liefde of het gevoel van het moment weer naar boven, vergezeld van een glimlach of, meestal, een traan. Rosario kon duizend verhalen vertellen die allemaal verschillend leken, maar als je de balans moest opmaken, was het er eigenlijk maar één. Dat van Rosario die tevergeefs probeerde het van het leven te winnen.

'Wat winnen?' wilde Emilio weten, die weinig verstand had van zulk soort zaken.

Gewoon winnen, het doen zwichten, het als een vernederde tegenstander aan haar voeten krijgen, of op z'n minst zichzelf voor de gek houden, zoals iedereen die denkt dat het probleem vanzelf is opgelost met een beroep, een vrouw, een veilig huis en een paar kinderen. Rosario's strijd is niet zo simpel, hij wortelt diep in het verleden, in vorige generaties; haar leven is belast met het gewicht van dit land, haar genen slepen een ras van edelmannen en hoerenzonen mee die zich met een machete een weg door het leven baanden en dat nog steeds doen; ze aten, werkten, schoren zich met de machete, ze doodden ermee en losten er conflicten met hun vrouwen mee op. Vandaag de dag is de machete een zelfgemaakt pistool, een negen millimeter, een gun met afgezaagde loop. Het wapen is veranderd, maar het gebruik ervan niet. Ook de geschiedenis veranderde, ze werd gruwelijk, en onze trots ging over in schaamte, zonder dat we begrepen hoe, wanneer en wat er allemaal gebeurd was. We weten niet hoe oud onze geschiedenis is, maar we voelen haar last. En Rosario heeft die altijd gedragen, daarom werd ze op haar geboortedag niet door een ooievaar gebracht, maar door een zwarte kraai.

'Hoe is 't nu, nog nieuws?' vroeg Emilio zodra hij de telefoon opnam.

'Niks. Ze zijn nog steeds met haar binnen.'

'Maar wat is er dan, wat zeggen ze dan?'

'Ze zeggen niks, niemand weet iets.'

'Waarom heb je me dan gebeld?' zei hij geïrriteerd.

'Bel maar als je wat weet. Ik maak me zorgen, man.'

'Hoe laat zou het zijn?' vroeg ik.

'Geen idee,' zei hij. 'Het moet een uur of halfvijf zijn.'

Johnefe dacht dat Rosario zwanger was geraakt van de verkrachting. Hij zag haar dikker worden, maar hij kwam er niet uit. Hij dwong haar naar het gezondheidscentrum te gaan om zijn twijfels weg te nemen, ook al bleef zij volhouden dat er helemaal geen zwangerschap was.

'Doe nou maar,' zei hij, 'want we gaan hier in huis geen hoerenzoontjes grootbrengen.'

Wat Johnefe niet in de gaten had, was dat Rosario binnen een dag de koelkast kon leegeten. Ze zorgde ervoor dat niemand er iets van merkte. Ze zette de lege verpakkingen terug en vulde alles wat ze had verslonden weer aan met wat ze in de winkel op de hoek op de pof kon kopen, als ze het tenminste niet onderweg naar huis al naar binnen werkte. Maar het was nou net de rekening bij de kruidenier die Johnefe van zijn twijfels bevrijdde en Rosario verried.

'Leg me dit eens uit,' zei hij met de rekening in zijn hand. 'Tweeënhalve kilo spek, anderhalve kilo suiker, twee liter ijs, een taart, drieëntwintig chocoladerepen – hoe krijgt iemand drieëntwintig chocoladerepen naar binnen? –, zes dozijn eieren, vier kilo vlees, twaalf liter melk, en hier eten alleen jij, ik en Deisy, en deze rekening is van deze maand, alleen van deze maand; doe me een lol en leg me dat eens uit.'

'Wat wil je dat ik uitleg?' antwoordde ze uitdagend. 'Ik heb het allemaal opgegeten, en als je gaat zeuren over die kutrekening, betaal ik hem zelf wel.'

'Dat zie je van een kilometer afstand, dat jij het allemaal hebt opgegeten. En jij denkt dat ik me uit de naad loop te werken zodat jij je hier op je luie reet vet kan gaan zitten mesten, dat ik hier mijn leven moet riskeren, de rotzooi moet opknappen, mijn nek uit moet steken om de poen binnen te halen zodat jij hier gratis en voor niks als een prinsesje kan wonen?

'Als je dat zo erg vindt,' ging Rosario op dezelfde toon verder, 'dan ga ik toch gewoon terug naar mama.'

'Je weet dat doña Rubi je niet kan luchten of zien. Ik weet niet wat je daar hebt uitgespookt, maar je hebt er in elk geval een zootje van gemaakt; wat heb je daar eigenlijk uitgespookt, Rosario, want dat verhaaltje van die ongesteldheid gelooft niemand, want als dat waar is, dan was je nu onderhand de pijp uit. En ga nou niet huilen, en jij ook niet, Deisy, tjonge jonge, waarom beginnen vrouwen toch altijd te huilen als je wat tegen ze zegt?'

'Ik huil niet,' zei Rosario huilend.

'Ik ook niet,' zei Deisy, door tranen verstikt.

Rosario huilde bijna altijd van woede, ik heb haar maar zelden zien huilen van verdriet. Ze was in elk geval geen huilebalk, ze deed het alleen in extreme situaties, en dat haar broer, de liefde van haar leven, kwaad op haar was, wás zo'n situatie.

'Voor hem slankte ik altijd weer af,' zei ze, aan hem terugdenkend. 'Hij vond het maar niks als ik dik werd, als hij de kilo's eraan zag komen, ging hij aan mijn kop lopen zeuren en uitzoeken wat ik uitvrat in die dagen. Hij vond het maar niks als ik mezelf in de problemen bracht.'

Ik had haar meerdere keren dik gezien, dezelfde keren dat ze zich flink in de nesten had gewerkt, al die keren dat ze een zoen met een schot liet samenvallen.

'Ik snap die idiote gewoonte van jou niet om doden te kussen!' zei Emilio razend tegen haar.

'Welke doden?' antwoordde zij. 'Ik kus ze voordat ze dood zijn.'

'Maakt niet uit, maar wat hebben kussen nou met de dood te maken?'

Emilio leerde over de dood praten met dezelfde vanzelfsprekendheid als waarmee zij moordde. In zijn drang om haar te volgen ging hij langzaam Rosario's merkwaardige wereld binnen, en voordat hij goed en wel in de gaten had waar hij was beland, zat hij al tot aan zijn nek in de foute zaakjes, de schulden en de problemen. Om haar te kunnen hebben, had hij zich helemaal laten meesleuren, en ik werd een toevallige getuige van hun val.

'Ik vind het zielig voor ze,' legde Rosario ons uit. 'Ik vind dat ze in elk geval een kus verdienen voordat ze doodgaan.'

'Als je het zo zielig vindt, waarom schiet je ze dan dood?' vroeg ik, bemoeial als ik was.

'Omdat het moet gebeuren. Dat weet je.'

Ik wist niks. Ik ging met hen om omdat ik van ze hield, omdat ik niet zonder Emilio en Rosario kon leven, omdat ik op die leeftijd het leven dieper wilde voelen en met hen het avontuur gegarandeerd was. Ik snap nu niet hoe ik het lef had om met ze mee te doen, het was alsof je met je ogen dicht in een koud zwembad sprong.

'Wat vind jij ervan?' vroeg Emilio steeds weer.

'Wat vind ik waarvan?' antwoordde ik elke keer, terwijl ik al wist waar het gesprek naartoe ging.

'Van Rosario, van dit alles.'

'We hebben niet veel meer te vinden,' zei ik dan. 'We zijn al door de aarde opgeslokt.'

De eerste hopeloze situatie deed zich een paar maanden later voor, in de discotheek waar we haar hadden leren kennen. Emilio was inmiddels het officiële vriendje van Rosario en maakte er geen punt van om overal met haar gezien te worden. Hij was apetrots, hij showde haar alsof ze er eentje uit Monaco was, hij negeerde wat er over haar en haar afkomst werd rondverteld, en ik was altijd bij hen. Hij was ook ongevoelig voor de dreigementen van Ferney en zijn bende, aan zijn adres omdat hij Rosario van hem had afgepakt, aan dat van haar omdat ze zichzelf in de uitverkoop had gedaan. Die avond wierp een van hen dat Rosario bij de toiletten voor de voeten. 'Je bent een slet,' zei die gozer tegen haar.

'Loop niet te zeiken, Pato, bemoei je er niet mee,' waarschuwde ze hem. 'Moet je een lijntje?'

Het schijnt dat hij alles in haar gezicht blies toen ze

het papiertje openvouwde, en zij werd woest. Ze veegde haar brandende ogen schoon en zag dat de vent er nog steeds stond.

'Dit gaan we niet verspillen, Patico,' zei ze. 'Lik mijn gezicht maar af en geef me daarna maar een kusje op mijn mond, met tong.'

Patico snapte Rosario's houding niet, maar hij gehoorzaamde om zijn portie niet mis te lopen. Daar waar hij haar wangen, haar neus en haar oogleden schoonlikte, liet hij een vochtig spoor achter in het witte poeder. Daarna kwam hij, zoals ze hem had opgedragen, bij haar mond, stak zijn tong uit en gaf Rosario de bittere smaak door; ondertussen had zij haar pistool uit haar tas gehaald, zette het op zijn buik, en toen ze zijn hele tong had afgelikt, schoot ze.

'Mij moet je respecteren, Patico,' was het laatste dat de knul hoorde. Ze stopte het pistool weg en kwam rustig bij onze tafel terug. 'Kom, we gaan,' zei ze. 'Ik heb het wel gezien hier.'

Uit de toiletten kwam een hoop rumoer omdat er een dode was gevonden. Ferney en zijn bende waren helemaal over de rooie, ze schreeuwden en trokken hun wapens en eentje wees er naar Rosario. Emilio en ik keken elkaar aan, Rosario ging haar lippen zitten stiften alsof er niets aan de hand was.

'Laten we hier weggaan, Emilio,' zei ik. 'Ik heb het ook wel gezien.'

Terwijl we wegrenden, voelde ik de kogels langs ons heen suizen. Rosario trok haar wapen weer en begon terug te schieten. De mensen renden schreeuwend en hysterisch in blinde paniek naar buiten. Ik weet niet hoe we het tot de auto hebben gehaald, ik weet niet hoe het ons is gelukt om van die parkeerplaats af te komen, ik snap niet hoe we het er levend af hebben gebracht.

Toen we thuiskwamen, vertelde Rosario ons alles.

'Je hebt wat?!' vroeg Emilio vol ongeloof.

Jawel, ze had hem vrijwel voor onze neus doodgeschoten, ze gaf het toe en schaamde zich er niet voor. Ze zei dat dit niet de eerste was en vast ook niet de laatste.

'Want iedereen die me wat flikt, zet ik het zo betaald.'

We konden het niet geloven, we huilden van schrik en verbazing. Emilio was zo radeloos dat het leek alsof hijzelf de moordenaar was. Hij trapte de meubels in elkaar, jankte en sloeg met zijn vuisten tegen de deuren. Meer dan dat het misdrijf zelf hem aangreep, was hij buiten zichzelf door het besef dat Rosario geen droom was, maar realiteit. En hij was uiteraard niet de enige die ontgoocheld was.

'Daar ben ik mooi klaar mee!' zei ze tegen ons. 'Met twee van die mietjes.'

Die avond dacht ik dat we het hadden gehad met Rosario. Ik vergiste me. Ik weet niet hoe ze het voor elkaar kreeg dat ze niet voor de dode hoefde te boeten, en we hebben ook nooit geweten op welk moment we uit de droom ontwaakten en deel werden van de nachtmerrie.

4

Vanuit het raam van het ziekenhuis ziet Medellín eruit als een kerststal. Piepkleine, in de bergen ingebedde lichtjes twinkelen als sterren. Er is geen donker plekje meer over op de tot aan de top met lampjes bezaaide bergketen, het 'zilveren kopje' schittert als nooit tevoren. De verlichte gebouwen verschaffen het een kosmopolitisch tintje, een air van grandeur die ons doet geloven dat we de onderontwikkeling al te boven zijn. De metro loopt er dwars doorheen, en de eerste keer dat we hem zagen voortglijden, dachten we dat we eindelijk uit de armoede waren gekomen.

'Wat ziet het er mooi uit van hieraf,' zeiden we allemaal als we de stad van bovenaf bekeken.

Op vijf minuten autorijden vond je, waar je maar wilde, een adembenemend uitzicht op de stad. En als we de gloed ervan zagen op Rosario's gezicht, dat verbluft naar die kerststal keek, voelden we dankbaarheid jegens die mensen die in groten getale op de berghellingen waren neergestreken. Rosario bracht me dichter bij die andere stad, die van de kleine lichtjes. Het duurde even voordat ze me die liet zien, maar na verloop van tijd hief ze haar vinger op om me aan te wijzen waar ze vandaan kwam. Het was een stapsgewijs leerproces waarin het vertrouwen, de genegenheid en de drank haar hielpen om mij haar geheimen prijs te geven. Het weinige wat ze me niet vertelde, leidde ik af uit haar verhalen.

'Uit de sloppenwijk naar hierbeneden komen is net zoiets als voor de eerste keer naar Miami gaan,' zei Rosario. 'We gingen hoogstens naar het centrum, en het centrum is ook een teringzooi; maar hierheen, waar jullie wonen, bijna nooit. Waarvoor ook? Om ons lekker te laten maken?'

'Ben jij in Miami geweest, Rosario?' vroeg ik, negerend dat het eigenlijk om dat andere draaide.

'Twee keer,' antwoordde ze. 'De eerste keer nodigden ze me uit voor de gezelligheid, de tweede keer om me te verstoppen.'

'Wie nodigde je uit, Rosario?'

'Je weet wel, de enigen die me alles geven.'

Het gedeelte van de stad waar Rosario vandaan kwam maakte net zoveel indruk op mij als het mijne op haar, met dit verschil dat ik het hare niet kon vergelijken met een Miami of enige andere plek die ik kende.

'Als je het soms nog niet wist, dit is ook Medellín,' zei ze op de dag dat ik met haar mee moest.

Ze was in alle vroegte gewekt in haar nieuwe luxe flat met de mededeling dat haar broer dood was gevonden. Hij was vermoord. Als eerste belde ze mij.

'Wie heeft je dat verteld?' vroeg ik. 'Arley?'

'Ferney,' verbeterde ze me lusteloos. 'Maar hij kan nu

niet komen, daarom moet je twee dingen voor me doen: eerst met me meegaan...'

'Maar Rosario,' protesteerde ik, zonder te weten wat ik moest zeggen.

'Ga je met me mee, ja of nee?'

'Oké.' Ik kon geen nee tegen haar zeggen. 'En het andere?'

'Zeg niks tegen Emilio. Beloof het me.'

Dat vroeg ze me wel vaker, en het zette me met de rug tegen de muur. Ik had het gevoel dat ik mijn beste vriend verried, terwijl ik meer redenen had om van hem te houden dan van Rosario. Maar aangezien zij hier degene was die de gevoelens manipuleerde, gaf ik haar met mijn stilzwijgen altijd haar zin, alhoewel dit geheim niet lang standhield, ze kon het niet voor zich houden.

De sterke vrouw die ik over de telefoon had gesproken, had het afgelegd tegen de realiteit. Toen ik haar ging ophalen, moest ik haar helpen om in de auto te stappen. Ze was gebroken, ze vloekte en huilde, bezeten van woede en verdriet, zelfs God bedreigde ze met de dood. Ze was gewapend. Ik moest de auto stoppen en zeggen dat ik haar niet meenam als ze me het pistool niet gaf. Ze luisterde niet naar me, stapte uit en hield met haar pistool een taxi aan. Ik stapte uit en pakte haar vast, en voor het eerst zag ik haar huilen, ze liet haar wapen zakken en huilde uit op mijn schouder. Later in de auto trok ze alsnog aan het langste eind, zij gaf me het pistool niet en ik was niet in staat om haar alleen achter te laten. Toen kwam ze, alsof ze iets had ingenomen, tot bedaren.

46

'Ze hebben de liefde van mijn leven vermoord, maatje,' zei ze. 'De enige die van me heeft gehouden.'

Ik was jaloers. Wat Emilio nooit in me had opgewekt, voelde ik die dag jegens haar dode broer. Ik bedacht dat ik haar alles moest vertellen wat ik voor haar voelde, haar uit haar emotionele onwetendheid moest bevrijden en zeggen dat er iemand was die meer van haar hield dan wie ook.

'*Ik* hou van je, Rosario...' begon ik vastberaden. 'We houden allemaal van je,' voegde ik er laf aan toe.

Ook dit keer kon ik het niet. Bovendien, en daarin moest ik mezelf gelijk geven, was dit niet de dag voor een liefdesverklaring.

'Dank je, maatje,' was alles wat ze terugzei.

Toen we onder aan haar wijk aankwamen, begon ze me de weg te wijzen. We waren in het labyrint, op vreemd terrein, ik kon alleen nog maar de auto in zijn één zetten en aanwijzingen opvolgen. Daarna was het totale verbijstering over de omgeving, ontsteltenis over de ogen die ons volgden terwijl we omhoogreden, blikken die ik niet kende, die me lieten voelen dat ik een buitenstaander was, gebaren die me dwongen me af te vragen wat ik, een vreemdeling, hier te zoeken had.

'Zet me hier maar af,' onderbrak Rosario mijn overpeinzingen. 'Ik ga te voet verder.'

'Waarom? Ik breng je wel naar huis.'

'Tot hier kom je met de auto. Verder is het lopen geblazen.'

Trillend, bleek, overmand door een angst die ze niet

kon verbergen, stapte ze uit. Ze klemde haar tasje stevig onder haar arm en zette een zonnebril op tegen de opkomende zon.

'Ik ga met je mee, Rosario,' drong ik aan.

'Ik kan beter alleen verdergaan. Later zal ik je alles vertellen.'

Ze draaide zich om en begon een onverharde helling te beklimmen, lichtvoetig, alsof ze over vlak terrein liep. Ik zag haar sterke benen, haar hoge achterwerk, haar verheven gestalte ondanks de last van haar intense verdriet. Vanuit een deuropening zwaaide er iemand naar haar. Rosario was weer onder haar mensen.

'Rosario!' schreeuwde ik vanuit de auto, maar ze kon me niet meer horen. 'Je gaat toch niks doen waar ik verdrietig van word!'

Haar hele leven deed me pijn alsof het mijn eigen leven was. Het maakte me zielsbedroefd om haar te zien lijden, ik zocht binnen mijn mogelijkheden naar een manier om haar gelukkig te maken.

'Zuster! Pardon, zuster.' De verpleegster was op haar wachtpost in slaap gevallen.

'Hè?!'

'Sorry, maar ik wil graag wat weten over Rosario, de vrouw die in de operatiekamer ligt.'

'Wie?' vroeg ze, terwijl ze haar best deed om weer in de werkelijkheid terug te keren.

'Rosario Ti...' kon ik zeggen, want toen ze wakker was, onderbrak ze me.

'Als ze nog niks weten, dan weten ze nog niks.'

Ik probeerde het met de tijd.

'Hoe laat zou het nu zijn?'

Ze antwoordde niet, sloot haar ogen, zocht het warme plekje in haar stoel weer op. Ik keek naar de wandklok.

'Halfvijf,' zei ik zachtjes, om haar niet wakker te maken.

Wat gaat de tijd toch snel! Ik zou zweren dat ik Rosario amper een maand geleden voor het laatst had gezien, toen Emilio en ik besloten dat als we niet zouden stoppen, het met ons nog slechter zou aflopen dan met haar. Rosario sleurde doelbewust wie dan ook mee de afgrond in. Ze had het in haar hoofd gezet om zelf geld te gaan verdienen, om rijker te worden dan de lui die haar onderhielden, en wat ons zo bang maakte was dat ze maar één manier kende om dat te bereiken: net zoals die anderen het hadden gedaan.

'Het is heel simpel, heel simpel,' zei ze tegen ons. 'Je hebt alleen de mensen nodig, en die heb ik.'

Het was niet alleen een kwestie van mensen, je moest ook de wilskracht en het lef van Rosario hebben, en ons was de lust wel vergaan na alle toestanden waarin ze ons had verwikkeld. Meer geld hadden we ook niet nodig en het lef hadden we allang niet meer. In plaats van mee te gaan in haar avontuur, begonnen we ons afscheid voor te bereiden.

Een week na de dood van haar broer belde Rosario me om drie uur 's nachts op. Ik had al die dagen aan één stuk door naar haar gezocht, daarom vond ik het niet erg dat ze me wakker maakte.

'Waar zit je?' vroeg ik zodra ik haar stem herkende.

'Vandaag hebben we Johnefe begraven,' zei ze.

'Hoezo? Het is al acht dagen geleden.'

'We zijn met hem op pad geweest.'

'Jullie zijn wat?'

'Ik vertel het je later wel, ik kan nu niet zo lang praten,' zei ze, haar stem dempend. 'Moet je horen, maatje, ik ben een paar dagen de stad uit. Ik bel je wel als ik terug ben.'

'Hoezo, Rosario? Waar ga je heen?'

'Maak je maar geen zorgen om mij, ik bel je later wel, maar zeg tegen Emilio dat ik met mijn ma mee moest naar... Naar Bogotá, naar een zus van me.'

'Rosario! Wacht even, vertel me nou wat er aan de hand is.'

'Doei, maatje. Later vertel ik je alles,' zei ze, en ze hing op.

Emilio begreep er uiteraard nog minder van dan ik. Hij ging helemaal door het lint als ze verdween, hij werd stapeldol van al dat mysterie dat om haar heen hing. Altijd als er zoiets gebeurde, en dat was heel vaak, zwoer hij me dat alles was afgelopen. Maar zij wist hoe ze hem weer rustig moest krijgen. Ze liet hem zijn hele preek afsteken en maakte hem daarna in bed helemaal gek.

'Wat me zo pissig maakt, is dat ze nooit wat met me overlegt!' zei Emilio woedend. 'Alsof ik niet besta!'

'Maar ze heeft mij toch gebeld en gezegd dat ik je alles moest vertellen,' zei ik, in een poging haar te verdedigen.

'Dat is nog veel idioter!'

'Wat?'

'Dat ze jou heeft gebeld en niet mij!'

Emilio had gelijk. Maar hij is er nooit eens rustig voor gaan zitten om Rosario te begrijpen. Misschien omdat hij haar toch al had, was hij gewend geraakt aan het onmiddellijke. Ik moest me daarentegen zelf een beeld van haar vormen. Ik bestudeerde elke stap om in haar buurt te kunnen zijn, ik observeerde haar zorgvuldig om geen blunders te maken, ik leerde dat je haar beetje bij beetje voor je moest winnen, en na al mijn stille onderzoek slaagde ik erin haar te begrijpen, dichter bij haar te komen dan ooit iemand gelukt was, haar op mijn manier te bezitten. Maar ik begreep ook dat Rosario zich in twee delen had gegeven: ik had haar ziel gekregen en Emilio haar lichaam. Waar ik nog steeds niet achter ben, is wie van ons tweeën nou het beste af was.

Een maand na het telefoontje dook Rosario weer op. Ze was dik. Ze was niet dezelfde die ik op de berghelling had achtergelaten. Er was iets in haar gezicht waar je bang van werd, iets waardoor je aanvoelde dat er zwaar weer op komst was. Ze liet me naar een winkelcentrum in de buurt van haar flat komen, op de eetafdeling. Ze stond met een donkere bril op en een sweatshirt aan een portie frites en een milkshake naar binnen te werken. Ik was geschokt, ze was opgefokter dan ooit.

'Wat is er aan de hand, Rosario?' vroeg ik nadat we elkaar hadden begroet.

'Moet je frietjes?'

'Ik wil dat je me vertelt wat er aan de hand is.'

'Bestel nog een milkshake voor me, maat. Ik heb geen geld meer.'

Het was niet eenvoudig om iets uit haar te krijgen, tenzij je haar vijf glazen sterke drank voerde. Maar ik was niet in de stemming om te wachten tot zij zou besluiten haar mond open te doen.

'Emilio vermoordt je,' zei ik. 'Hij is nu echt woest, hij wil je niet eens zien.'

'Dan zakt hij maar in de stront!' barstte ze uit. 'Ik wil hem ook niet zien.'

'Daar gaat het niet om, Rosario, we hebben ons gewoon zorgen gemaakt. Je verdwijnt van de ene op de andere dag en dan duik je zomaar ineens weer op.'

'Hoezo "zomaar"?' vroeg ze uitdagend.

'Ik zal eerlijk tegen je zijn, Rosario, je doet gewoon raar.'

'Wat is er raar aan mij? Nou? Zeg het maar, wat is er raar aan mij?'

Wie weet wat er was gebeurd als ik had geantwoord. Mijn opmerking was voor haar al genoeg om met één armbeweging alles van de tafel te vegen. Vervolgens stond ze woedend op en daagde iedereen die keek uit.

'Wat nou?! Heb ik iets van jullie aan of zo? Ga toch iets nuttigs doen, stelletje teringlijers!'

Iedereen luisterde. Het werd zo stil dat je kon horen hoe haar woeste passen zich verwijderden. Daarna keken ze allemaal steels naar mij. Ik wist niet wat ik moest doen, en al helemaal niet meer toen ik wilde opstaan en Rosario zag terugkomen. Ze bracht haar gezicht vlak bij het mijne en hoewel ze probeerde haar stem te dempen, kon ze niet voorkomen dat ze schreeuwde. 'Waar zijn vrienden voor, slappe zak? Nou?' Door haar bril heen zag ik dat ze huilde. 'Als ik niet eens op jou kan rekenen, op wie dan wel! Je bent geen flikker waard. Ik heb je niet gebeld om aan m'n kop te komen zeiken, en ook niet om me te vertellen dat ik dik ben.'

'Ik heb helemaal niet gezegd dat je dik was,' maakte ik duidelijk.

'Maar je kon zien dat je het wou zeggen! En ik word nog veel dikker, want jullie kunnen me niks meer schelen, jij niet, Emilio niet en niemand niet, hoor je dat? Ik heb schijt aan iedereen, en de enige die ik belangrijk vond, die hebben ze doodgeschoten, en jij gaf er niks om.'

De woede en de tranen beletten haar om verder te praten. Ze stond verstikt in haar eigen woorden te trillen. Ik voelde de behoefte om haar te omhelzen, haar beet te pakken en met kussen te overstelpen, haar te zeggen dat alles wat met haar te maken had heel belangrijk voor me was, belangrijker dan mijn eigen dingen, dan mijn eigen leven, ik wilde samen met haar huilen om haar woede, haar verdriet en mijn zwijgen.

'Ik geef wel om jou, Rosario,' was het enige wat ik zei. En hoewel ik het als eerste had bedacht, was zij het die mij omhelsde.

5

'Trouw met me, Rosario,' stelde Emilio voor.

'Ben je wel helemaal lekker?' antwoordde ze.

'Hoezo? Wat is daar zo gek aan? We houden toch van elkaar.'

'En wat heeft liefde met het huwelijk te maken?'

Ik haalde opgelucht adem toen ik van haar afwijzing hoorde. Emilio had me al over zijn plannen verteld, maar ik had er niks op gezegd, ten eerste omdat ik Rosario kende en ten tweede omdat het aanzoek eerder een daad van verzet was van Emilio dan een daad van liefde. Zijn familie zette hem zwaar onder druk om het uit te maken met haar, ze draaiden de geldkraan dicht, pakten hem zijn privileges af en begonnen hem als een verdachte te behandelen.

'Stel je voor, mijn ma heeft ineens alles achter slot en grendel gestopt,' vertelde hij me. 'Maf hoor. Het ontbreekt er nog maar aan dat ze de telefoon aan de ketting legt en me laat betalen om te bellen.'

Maar wat mij was opgevallen aan Emilio's voorstel, was Rosario's antwoord. Zij zag het scheve verband dat iedereen legt tussen de liefde en het huwelijk. Ik stelde vast dat er achter haar schoonheid en gewelddadigheid een visie schuilging, en een verstandige ook nog. Alles wat ik in haar ontdekte, dwong me om van haar te blijven houden, en hoe meer ik van haar hield, hoe verder ze van me verwijderd was.

'En?' vroeg ik Emilio. 'Ga je nou trouwen, ja of nee?'

'Welnee,' antwoordde hij. 'Die vrouw komt met zulke rare dingen aanzetten. En met welk geld trouwens? Thuis zeggen ze me niet eens meer goeiedag, dat weet je toch.'

'En waarom dat dan?'

'Mijn moeder, die kookt maar in haar eigen sop gaar.'

Emilio's familie hoort bij het creoolse koningshuis, dat van oude tradities en sociale gebreken aan elkaar hangt. Van die lui die nergens in de rij gaan staan omdat ze denken dat ze daar te goed voor zijn, die niemand betalen omdat ze denken dat hun achternaam ze krediet geeft, die Engels praten omdat ze geloven dat ze dan meer klasse hebben en die meer van de Verenigde Staten houden dan van dit land. Emilio heeft altijd geprobeerd om zich tegen die traditie te verzetten. Hij liet zich van de tweetalige school trappen en ging naar een andere, waar alle nietsnutten terechtkwamen. Hij wilde graag naar de openbare universiteit, maar daar werd hij niet van afgehouden door zijn familie, maar door zijn puntengemiddelde. En daarna bracht hij, als klap op de vuurpijl, Rosario mee naar huis.

'Je kunt wel zien dat ze geen klasse heeft,' zei Emilio's moeder tegen hem op de dag dat ze Rosario leerde kennen. 'Ze weet niet eens hoe ze fatsoenlijk haar bestek moet vastpakken.'

'Ze weet hoe ze mij moet pakken,' zei hij tegen ze. 'En daar gaat het om.'

Hoewel elke mogelijke afwijzing van Rosario me krenkte, vond ik het leuk die van Emilio's familie te vernemen. Ondanks zijn opstandige gedrag had hij nooit iemand anders mee naar huis durven brengen dan Rosario. En zoals meestal won uiteindelijk de traditie. Na Rosario voelde Emilio zich weer als een vis in het water. Hij verdient nu goed, werkt met zijn vader, kiest zorgvuldig zijn woorden en heeft een vriendin van wie iedereen houdt, behalve hijzelf. Ikzelf ben ook veranderd. Maar ik durf te beweren dat niet de druk van onze families die verandering heeft afgedwongen, maar het feit dat uiteindelijk de bom die Emilio, Rosario en ik gefabriceerd hadden, tot ontploffing kwam.

Ik had nooit gedacht dat ik zo jaloers kon zijn. Dat ze werd afgewezen, op wat voor manier ook, deed me pijn, maar ze werd er ook door in de eenzaamheid gestort waarin ik haar enige eiland was. Ik denk nu dat de tegenspoed ons altijd bij elkaar hield. Zo voelt het hier in dit ziekenhuis, waar zij daarbinnen naar een laatste wonder zoekt en ik me bevoorrecht voel omdat ik haar enige gezelschap ben.

'Ze heeft overal kogels zitten,' zei een van de artsen uit de nachtdienst tegen me toen ik hem vroeg de diagnose voor me toe te lichten.

'En nu?'

'Het is afwachten,' zei hij. 'Ze doen wat ze kunnen.'

Ik zag mijn angstige voorgevoel weerspiegeld in de ogen van een oude man die op de bank tegenover me zat. Op dit uur zaten alleen hij en ik er nog, en hoewel de man de hele tijd zat in te dutten, stuitte ik meteen na de informatie van de arts op zijn wakkere blik.

'Heb vertrouwen, alles is mogelijk,' zei de oude man tegen me.

Ik had het gevoel dat hij ook zat te wachten op Rosario's herrijzenis, dat hij net zoveel van haar hield als ik, dat hij een familielid kon zijn, misschien wel haar onbekende vader. Ik was niet in de stemming om een gesprek aan te gaan, maar later hoorde ik dat een zoon van hem, van ongeveer dezelfde leeftijd als Rosario, eveneens met kogels doorzeefd was opgenomen en dat hij net als ik vertrouwen moest hebben en moest afwachten.

'Hoe laat zou het zijn?' vroeg ik hem.

Hij keek naar de wandklok boven mij.

'Halfvijf,' antwoordde hij.

Rosario voelde de afkeuring van Emilio's moeder vanaf de eerste minuut, de vrouw had dan ook geen enkele moeite gedaan om die te verbergen. Rosario's goede voornemens werden door haar zenuwen in de war gestuurd. Dat was geloof ik geweest toen Emilio het in zijn hoofd had gehaald om haar mee te nemen naar de bruiloft van zijn nicht, zogenaamd opdat zijn hele familie haar eindelijk zou leren kennen.

'Toen ze me zag, trok die vrouw haar neus op alsof ik stonk of zo,' vertelde Rosario me.

Ze had Rosario begroet met een 'Hoe gaat het met u, jongedame?' en had totdat ze wegging geen woord meer tegen haar gesproken. Emilio vertelde me later dat ze alles wat ze tijdens het diner niet had uitgesproken, later in één adem over hem uitstortte. Dat ze woorden te kort kwam om op Rosario af te geven.

'Oud kreng!' herhaalde Rosario onvermoeibaar. ''t Is dat ze niks zei, anders had ik haar tong er met het vleesmes afgesneden!'

Haar ogen vulden zich met tranen als ze terugdacht aan die avond. Ze klemde haar tanden op elkaar als iemand het over die vrouw had. Ze trok zich terug en sprak na die avond niet meer tegen Emilio. Toen ze in de auto stapte, huilde ze al van woede, en ze liet zich niet door hem naar huis brengen. Halverwege stapte ze uit en nam een taxi. Ze was nog niet thuis of ze belde me op.

'Je had ze moeten zien, maat.' Ze kwam amper uit haar woorden. 'Ik had een hele outfit gekocht waar zijn ma haar kleren koopt, een rib uit m'n lijf. Ik had mijn haren laten doen waar zijn ma ook heen gaat, ik zag er hartstikke mooi uit, je had me moeten zien, maatje, ik leek wel een prinses. Ik had me zo voorgenomen om het niet te verknallen, ik had een te gek lachje geoefend voor de spiegel en ik had zelfs mijn scapulieren met een paar heel nette kettingen bedekt, echt, je had me niet herkend. Maar ik was er nog maar net of dat vuile kreng komt binnen en bekijkt me alsof ik een stuk stront ben, en daar stond ik dan met mijn kapsel, met mijn lachje, met mijn sieraden, ik begon te stotteren als een halfvegare, ik stootte de wijn om, ik knoeide eten op het tafelkleed, ik verslikte me in de rijst en kon de rest van de avond niet meer stoppen met hoesten, en iedereen maar vragen stellen, niet omdat ze zo aardig waren maar om te zieken, wat doe je, en je pa en je ma, waar studeer je en al die shit, alsof ik het enige was waar ze het over konden hebben.'

'En Emilio?' vroeg ik.

'Emilio moest voor mij antwoorden, want ik had daar allemaal niet over nagedacht, en ik kreeg mijn mond niet meer open, zo benauwd als ik het had. Maar moet je je voorstellen, het werd nog erger, we waren amper klaar met eten of de eerste die opstond was zijn ma, ze zei niks en liep weg van het diner, en daarna ging iedereen, sorry zeiden ze, ze moesten weg, en drie minuten later zat er niemand meer aan tafel, alleen Emilio en ik nog.

In elk woord legde ze de pijn die ze voelde. Af en toe stopte ze even om de vrouw voor van alles uit te maken, om tegen arm en rijk van leer te trekken, om God uit te kafferen, en dan ging ze weer verder met haar verhaal. Ze zei dat ze het uit ging maken met Emilio, dat ze daar niks te zoeken had, dat ze heel verschillend waren en uit andere werelden kwamen, dat ze niet wist hoe ze het in haar hoofd had gehaald – en ik dacht dat ik doodging toen ze mij ook meetelde – om zich met ons in te laten.

Maar als het in mijn Medellín regende, stormde het in haar Medellín. Het schijnt dat doña Rubi nog meer stennis maakte dan Emilio's moeder. Aanvankelijk begrepen we niet waarom, de vrouw had immers niets te verliezen, maar later snapten we dat ze voelde aankomen wat Rosario nog te verduren zou krijgen.

'Vertel me eens wat jij daar eigenlijk moet,' zei doña Rubi tegen haar.

'Je kunt beter aan hem vragen wat hij met mij moet,' antwoordde Rosario.

'Hij wil vast alleen maar met je naar bed,' bitste de vrouw terug.

'Dan doet hij dat toch,' reageerde de dochter.

Doña Rubi waarschuwde haar voor alles wat haar met 'die mensen' kon overkomen. Ze voorspelde haar dat ze haar, als ze met haar hadden gedaan wat ze wilden, als een hond terug de straat op zouden schoppen, armer en dieper gezonken dan een griet uit de goot. Rosario verweerde zich niet langer en hoorde zwijgend de rest van de preek aan die haar moeder over haar uitstortte. Toen ze zag dat zij ook zweeg, vroeg ze: 'Bent u klaar nu?'

Doña Rubi stak een sigaret op terwijl ze haar bleef aankijken. Rosario stond op, zocht haar tas en liep naar de voordeur.

'Dat zijn geen mensen voor jou, kind,' kon haar moeder nog zeggen voordat ze de deur achter zich dichttrok.

Rosario zei dat haar moeder gewoon jaloers was, dat ze haar hele leven naar een man met geld had lopen zoeken en naar haar bazen had lopen lonken, dat die vrouw het recht niet had om over haar te oordelen, al helemaal niet nu ze niet meer thuis woonde, en ze zag er trouwens zelf maar verdacht uit met haar geblondeerde haar en jurkjes die net zo strak zaten als die van Rosario.

'Doña Rubi denkt dat ze nog vijftien is,' spotte Rosario. 'God weet waar die zich mee bezighoudt.'

Uiteindelijk hadden de twee vrouwen het goed voorspeld, ondanks de enorme inspanningen die Emilio en Rosario leverden om hun relatie in stand te houden. Maar ik blijf erbij dat het niet kwam door het gezeur of de druk, we deden het zelf, jawel, wij drieën, want de relatie steunde zoals altijd op drie pilaren: de ziel, het lichaam en het verstand. We droegen alledrie van alles een beetje bij. We stortten alledrie tegelijk in, we konden het gewicht van wat we hadden opgebouwd niet meer dragen. Maar zij konden niet ontkomen aan dat weerzinwekkende 'ik heb het je gezegd'.

'Ik heb je gewaarschuwd, Emilio.'

'Ik heb het je gezegd, Rosario.'

Ik kreeg mijn les daarentegen van het leven, en niet pas aan het einde, zoals zij, maar elke keer als ik Rosario in de ogen keek. Altijd was er een 'ik heb het je gezegd' als ik haar met of vanwege Emilio zag weggaan, als ik haar hoorde zeggen dat ze van hem hield. Altijd was er een 'ik heb je gewaarschuwd' als ik ze opgesloten in hun kamer hoorde stoeien, als ik me inbeeldde waar hun spelletjes op uitliepen als ik hoorde hoe hun gelach plotseling verstomde, het bed kraakte en er af en toe een gekreun ontsnapte.

'Wat was je aan het doen?' vroeg Rosario.

Ze kwam naar buiten in een lang T-shirt, zonder iets eronder, met zo'n glimlach die verschijnt als je goede seks hebt gehad.

'Aan het lezen,' loog ik.

Ze kwam een sigaret roken omdat Emilio het niet prettig vond als ze in zijn kamer rookte. Ik snapte niet hoe je Rosario iets kon weigeren nadat je met haar had gevreeën.

'Aan het lezen?' vroeg ze. 'En wat lees je?'

Ik liet haar in mijn kamer roken. Ze vroeg me nooit om toestemming, maar ik vond het goed. Door de op een kier staande deur zag ik Emilio naakt op bed liggen, terwijl de laatste rillingen van genot door zijn lichaam trokken. Zij kwam in alleen haar T-shirtje bij me op bed zitten, leunde tegen de muur, trok haar voeten op, sloeg ze over elkaar en stootte, met de zweetdruppeltjes nog op haar bovenlip, heel langzaam rookwolkjes uit. Ze stelde me een willekeurige onzinnige vraag, waar ik soms niet eens op antwoordde omdat ik wist dat ze toch niet luisterde. Ze praatte niet altijd. Meestal rookte ze zwijgend haar sigaret en liep ze daarna naar de douche. En elke keer als ze de kamer uit was, zocht ik naar het plekje op het laken waar ze had gezeten, om er het fantastische geschenk te vinden dat ze altijd voor me achterliet: een vochtig vlekje dat ik aan mijn neus en mijn mond drukte om erachter te komen waar Rosario vanbinnen naar smaakte.

6

'Is het je wel eens opgevallen dat dood en geluk altijd heel dicht bij elkaar staan?' merkte Rosario op.

Ik zat die dagen helemaal in de poëzie, en aangezien Rosario nieuwsgierig was, hield ik haar een beetje op de hoogte van wat ik las. Ze bracht alles in verband met de dood, zelfs de uitleg van mijn gedichten.

'Die dingen zijn vast heel leuk om te lezen als je apestoned bent,' zei ze, en dat vonden we een prima plan.

Een tijdlang sloten we ons op zondag met z'n drieën op om te blowen en poëzie te lezen. We stuitten op zinnen waardoor we geloofden dat we de wereld doorzagen, waar we stil van werden omdat we niet wisten wat we ermee aan moesten, waar we helemaal van in een deuk lagen of een verschrikkelijke honger van kregen. Dat waren de rustige periodes, die van de muziek en de literatuur, en nu en dan wat drugs om van toestand te veranderen. Maar er waren ook andere dagen. Andere zondagen, andere dagen dat we ons opsloten, waarvan ik nog steeds niet begrijp hoe we er heelhuids uit zijn gekomen. We waren toen niet meer met zijn drieën, maar met een rare groep mensen.

'Dat zijn vrienden van Rosario,' legde Emilio me uit.

Je had geen spiegel nodig om te zien dat ze anders waren dan wij, hoewel wij er aan het eind net zo uitzagen als zij. Ze hadden gemillimeterd haar, maar uit hun nek groeiden een paar lange, ongelijke staarten; ze droegen drie maten te grote T-shirts die tot iets boven hun knieën kwamen en rechte, strakke spijkerbroeken met daaronder twee verdiepingen hoge sportschoenen met fluorescerende lichtjes en neonstrepen. Ik had ze altijd van veraf gezien en nooit echt goed naar ze gekeken, maar toen ze eenmaal bij Rosario thuis rondliepen, begon ik ze nauwkeurig te observeren en, heel voorzichtig, te imiteren. Eerst schoren we ons haar heel kort en lieten een paar wat bescheidener staartjes hangen; daarna wikkelden we wat prullen om onze polsen, hulden ons in oude spijkerbroeken en wisselden op feesten T-shirts uit, en zo kwamen de kleren van Fierrotibio, Charli, Pipicito, Mani en anderen in mijn kast terecht. Johnefe had me in een sentimentele bui het scapulier geschonken dat hij altijd op zijn borst had hangen, en volgens Rosario was hij daardoor vermoord, want op die plek was de kogel zijn lichaam ingegaan.

'Rosario heeft het vaak over jou, gek,' had Johnefe die avond gezegd. 'Ze zegt dat je een toffe kerel bent, gek.' En hij knoopte zijn hemd los en pakte zijn scapulier beet. 'Lui die van Rosario houden vind ik zwaar oké, man.' Heel voorzichtig deed hij het af, alsof het aan een gouden kettinkje hing. 'Hier, kerel, doe het maar om en let goed op haar, zorg ervoor dat mijn Rosario niks overkomt, jij ziet er wel verantwoordelijk uit, gek, hier, neem nou maar aan, dit is van de Divino Boy, het beschermt jullie allebei.' Hij pakte met beide handen mijn gezicht vast, kneep in mijn wangen en gaf me een zoen op mijn mond. 'Roken we er nog eentje, of wat?'

Nadat ze hem hadden vermoord, gaf ik het scapulier aan Rosario. Ik dacht dat ze mij de schuld zou geven, maar ze zei niets; ze kuste het, hing het om haar nek en sloeg een kruis. Dat was toen ze na de begrafenis was verdwenen en dik terugkwam. Toen ik er later nog eens over nadacht, begreep ik dat de kilo's en haar milde reactie tegenover mij voortkwamen uit het feit dat ze al aan haar wraaklust had toegegeven.

'Als je het me eerder had gegeven, hadden we het met hem mee kunnen begraven,' luidde haar enige verwijt.

De enige die niet naar de feesten ging waar Rosario kwam, was Ferney, althans niet als Emilio er was. Of Emilio ging niet als Ferney er was. Degene die er het eerst was bleef, de andere kon boodschappen gaan sturen.

'Zeg maar tegen die teringlijer dat ie al naar formaline ruikt,' liet Ferney doorgeven.

'Zeg maar tegen die teringlijer dat hij wel zou willen dat hij net zo rook als ik,' liet Emilio doorgeven.

In het begin was het knokken tussen de verdedigers van Ferney en de aanhangers van Rosario – Emilio had niemand die het voor hem opnam behalve mij, en ik ging me niet met die lui bemoeien. Zolang Johnefe leefde was hij degene die de situatie in de hand hield. 'Niemand bemoeit zich ermee, jongens,' zei hij. 'De kleine moet zelf beslissen.'

En aangezien de kleine er nooit uit kwam, was als er een feest werd gehouden – als je dat zo kon noemen –, nu eens Emilio aanwezig en dan weer, minder vaak misschien, Ferney.

'Maar ik ben toch je vriend,' verweet Emilio haar.

'Ja,' antwoordde zij dan. 'Maar Ferney is Ferney.'

Het kwam ook vaak voor dat geen van beiden met haar meeging. Dan mochten ze niet. Het waren de talloze keren dat Rosario op stap ging met de keiharde jongens, die haar alles gaven, die de poen neertelden en zich daardoor de luxe konden veroorloven om onbeperkt over haar te beschikken. Ze ging altijd zonder ons te waarschuwen. Als ze twee dagen lang niks van zich liet horen, was ze bij hen. En ook aan Emilio's gezicht kon je aflezen dat Rosario weer de hort op was.

'Nu is het echt afgelopen,' zei hij telkens als Rosario verdween. 'Nu echt.'

'Je zegt altijd...'

'Let maar op,' onderbrak hij me. 'Nu kan het voor mijn part allemaal naar z'n mallemoer gaan.'

Hij kon zich nooit aan zijn woord houden. Rosario kwam altijd weer bij hem terug, zoet als honing, met een hele stapel geld en dol van verlangen naar haar mooie jongetje. Maar eerst belde ze mij op om het terrein te verkennen.

'Hij zei dat het nu echt over was,' vertelde ik Rosario.

'Alweer?' zei ze.

'Nee. Nu echt, zei hij.'

Rosario kwam altijd weer met een cadeautje bij hem aan, helemaal opgedoft en mooier dan ooit, bereid om zich net zolang met hem op te sluiten tot hij helemaal tevreden was.

Waarom cadeautjes meenemen, Rosario, dacht ik als ik haar zag. Je bent zelf het cadeau.

Ze vertelde me dat bij Emilio terugkomen net zoiets was als een koud glas water drinken als het bloedheet is. 'Je hebt geen idee uit wat voor ranzige toestand ik kom,' zei ze altijd.

Bij hen miste ze wat ze het mooist vond aan Emilio: zijn platte buik, zijn stevige billen, het gekriebel van zijn stoppelbaardje op zondagochtend, zijn grote witte tanden; alles wat zij, hoeveel geld ze ook hadden, haar niet konden bieden.

'Maar er zijn andere dingen die Emilio me niet kan geven, maatje.'

En ik dan? Ik had ook een platte buik, stevige billen, grote tanden, en een zuiver hart dat alleen van haar zou houden.

'Niemand,' zei ze, 'niemand kan me geven wat zij me geven.'

Dat klopte. Dat konden wij ze niet afnemen. Uiteindelijk legden we ons er altijd bij neer, Emilio, Ferney en ik. We namen genoegen met het feit dat ze terugkwam, met de liefde die ze te geven had en de manier waarop ze die zelf graag wilde verdelen.

'Wie zijn die lui, Rosario?' vroeg ik haar eens.

'Je kent ze wel. Ze komen elke dag in het journaal.'

Zodra ze Rosario zagen, overkwam hun hetzelfde als iedereen: ze wilden haar voor zichzelf hebben. En aangezien degene met het meeste geld het voor het kiezen heeft, kregen ze haar.

'Johnefe en Ferney hadden een baantje bij La Oficina weten te krijgen,' vertelde ze me. 'Dat willen alle jongens. Daar word je van een groentje een keiharde jongen. Er was veel vraag in die tijd want het liep allemaal uit de hand, en ze zochten bendeleiders om een team op te zetten.'

'Vertaling graag,' zei ik.

'Oorlog, maat, oorlog. Er moest verdedigd worden. Wie een smeris omlegde kreeg grof geld betaald. Johnefe en Ferney werden aangenomen. Ferney kon niet goed mikken, maar reed goed motor, en Johnefe was net een adelaar, waar hij zijn oog op richtte, daar viel zijn schot. Toen ze hadden laten zien wat ze konden, kregen ze promotie. Het ging ze geweldig goed, ze kochten een andere motor, nieuwe schietijzers en we zetten een tweede verdieping op het huis. Zo was het leuk werken, daar wilden we allemaal wel aan de slag. Later werd ik ook aangenomen.'

'Je wilt toch niet zeggen dat jij ook...' Ik wist niet hoe ik het moest zeggen. 'Je weet wel... die politieagenten.'

'Welnééé, maatje. Dat was niks voor mij, ik kan niet van veraf schieten, ik heb het van Ferney geleerd, dat weet je toch. Die Ferney schiet van dichtbij nog mis. Als je wilt dat ze respect voor je hebben, moet je kunnen mikken, anders kan je beter wat anders gaan doen.'

'Maar hoe komt het dan,' vroeg ik, 'dat iedereen respect heeft voor Ferley?'

'Ferney,' verbeterde ze me. 'Nou, omdat hij een kei op de motor is. En hij heeft ons een keer uit de shit geholpen. Als hij er toen niet was geweest, hadden we allang tussen de pieren gelegen. Het kwam natuurlijk allemaal doordat hij zo slecht kon richten, want we hadden een heftige schietpartij met de bende van Papeleto. We zaten slecht in de wapens, maar we hadden ze er toch al behoorlijk onder toen ineens een van hun doden weer opstond en begon te schieten, en Johnefe had geen kogels meer, alleen Ferney, dus toen schreeuwde Johnefe tegen hem: "Kijk uit voor die gozer daar!" en Ferney begon terug te schieten, maar in plaats van hem te raken schoot hij een andere overhoop die achter de bosjes zat en die we niet gezien hadden; we zagen hem nog net met een mini-Uzi in zijn hand omrollen, kun je nagaan, daar had hij ons allemaal mee weggeveegd!'

'En die andere, die uit de dood was opgestaan?' vroeg ik nieuwsgierig.

'Die? O, die ging weer dood.'

Het hele verhaal interesseerde me zo omdat ze de lui aan de top had leren kennen doordat ze met haar broer en haar toenmalige vriendje meeging bij de klussen van La Oficina.

'En hoe ben je dan helemaal tot boven gekomen?' vroeg ik.

'Dat is een lang verhaal, maat,' zei ze. 'Laten we er nog maar eentje nemen.'

Wanneer ze besloot te praten, was Rosario als een druppelende kraan. Ze liet net genoeg druppeltjes op je dorstige tong vallen om je de hele straal te kunnen voorstellen. Haar goed gedoseerde woorden waren een verrukkelijke, verslavende drug waarvan je altijd meer wilde. Het grappige was dat ik er in het begin aan had getwijfeld of Rosario eigenlijk wel ooit wat zei. Zelfs de eerste keren dat we uitgingen groette ze alleen maar met een glimlachje. We wisten nooit of ze tevreden of verveeld was, of ze de plek waar we heen gingen wel leuk vond of dat ze misschien iets wilde eten. Je moest haar altijd alles vragen als je iets wilde weten.

'Dat je je niet verveelt met die vrouw, Emilio,' zeiden we tegen hem. 'Ze zegt toch helemaal niks? Ze lijkt wel stom.'

'Nou en!' antwoordde Emilio. 'Waarom zou je een vrouw willen die praat? Dit is veel beter.'

In de loop der tijd liet ze haar eerste druppeltjes los, maar pas nadat ze het terrein had verkend en er een beetje vertrouwd mee was geraakt. Ze speurde tussen de nieuwkomers naar de betrouwbare blik, naar de ziel die al haar geheimen kon bewaren, en ze vond mij. Hoewel het haar niet veel moeite moet hebben gekost, want ik wilde al heel lang weten wat er achter die stilte schuilging.

'Waar denk je aan, Rosario?'

'Wanneer?'

'Als je stil bent.'

'Weet ik niet. Waar denk jij aan?'

Als ik haar toch had verteld dat ik altijd aan haar dacht... Sinds de ochtend dat ik wakker werd en verliefd op haar was, had ik duizenden werelden bij Rosario bedacht. Werelden die voortkwamen uit mijn eigen verlangens, die niet langer standhielden dan een droom en instortten met de doffe klap van de deur van hun kamer, met hun gekreun dat door de wanden drong, met haar onvoorspelbare ontsnappingen naar de keiharde jongens.

'Je hebt me niet verteld hoe je ze hebt leren kennen,' zei ik.

'Dat heb ik je al verteld.'

'Nee, dat heb je niet,' hield ik vol.

Ferney en Johnefe waren door La Oficina met een lastige klus opgezadeld. Ze kregen er een stapel geld voor die ze met een jaar werken nooit bij elkaar hadden gekregen. Het doelwit was een politicus die hun broodheren het leven lastig maakte.

'Je weet wel,' zei Rosario, 'zo'n teringlijer.'

'Hoe heet hij?' vroeg ik.

'Heette,' zei ze, 'want de klus was een groot succes.'

Met haar broer en Ferney reisden er nog vijf anderen mee, en hoewel ze me nooit de details van de onderneming had gegeven, omdat ze die niet kende misschien, vertelde ze wel dat ze allemaal met hun vriendin waren gegaan.

'De jongens worden namelijk nogal zenuwachtig,' legde ze me uit, 'en wij zijn dan de enigen die ze rustig kunnen houden. Dit keer werden ook de tickets voor mij en Deisy betaald, en voor nog een paar andere popjes die ik niet kende. We reisden allemaal apart en kwamen op verschillende dagen aan, maar Johnefe en Deisy en Ferney en ik zaten in hetzelfde hotel. We deden alsof we stelletjes op huwelijksreis waren, dus we moesten de hele tijd heel klef doen, en je weet hoe een hekel ik heb aan die flauwekul. Ik vind het maar niks als ze tegen me lopen te kwijlen, als mannen eens wisten hoe soft ze overkomen als ze romantisch gaan lopen doen. Daarom vind ik Emilio zo leuk, die is zo droog als een kurk. Waar was ik gebleven?'

Ik was ook de draad kwijt. Ik wist ineens niet meer wat ik moest aanvangen met al die woorden die ik voor haar had bedacht. Woorden van liefde die ik aaneenreeg als ik insliep en klaar had om op een dag bij maanlicht tegen haar te zeggen, aan een strand, op het softe, walgelijk romantische toontje dat ze zo irritant vond. Hoe kun je anders over de liefde praten?

'Je was bij het hotel,' hielp ik haar herinneren.

'Het hotel, het hotel...' zei ze, pogend de draad van het verhaal weer op te pikken. 'Moet je je voorstellen, we mochten niet eens het hotel uit om te eten. De jongens gingen vroeg weg en kwamen pas laat weer terug. Ik ging naar Deisy's kamer of zij kwam naar de mijne. We verveelden ons kapot. Het enige wat we deden was films kijken op de kabel, marihuana roken en samen uit het raam hangen om naar Bogotá te kijken. De jongens kwamen 's avonds heel opgefokt terug, met een flinke slok op, ze lieten niks los over waar ze mee bezig waren, ze lie-

pen allebei naar hun kamer om zich door ons te laten ver-
wennen. Ferney was steeds door het dolle heen als hij terugkwam, alsof hij het nog nooit met me had gedaan,
maar hij stond zo strak dat het niet lukte. Nou ja, de dag
dat ze klaar waren met het werk kreeg hij hem wel overeind.'

Heel vaak werd ik het slachtoffer van mijn eigen
nieuwsgierigheid. Als ik Rosario vroeg me haar verhalen
te vertellen, werd ik met details geconfronteerd die ik
liever niet had geweten. Ik liet haar intieme leven liever
aan mijn verbeelding over.

'Deisy vertelde me dat het met Johnefe hetzelfde
ging,' vervolgde ze, 'dat die ook de hele nacht liep rond
te spoken en bazooka moest roken, dat hij ook niet sliep
en zich flink hield. Op een nacht zeiden ze dat we alles
moesten inpakken omdat we de volgende ochtend werden opgehaald en naar een landhuis gebracht, en dat we
hen daar zouden zien.

"En wie komt ons ophalen?" was Deisy zo stom om te
vragen.

"Daar heb je niks mee te maken," antwoordde Johnefe. "Doe jij nou maar gewoon wat ik zeg, ja?"

Bemoeial en oen die ik was, ging ik Deisy verdedigen, en het werd me toch een heibel. Johnefe hief zijn
hand op en gaf me een mep. Hij zei: "Stom kankerwijf, ik
snap niet waarom we jullie hebben meegenomen als jullie toch alleen maar op onze zenuwen lopen te werken,"
en Ferney vond het natuurlijk maar niks dat ik een mep
had gekregen. Hij trok zijn blaffer en zette hem bij John-

efe in zijn mond en zei: "Je zus respecteer je, vuile schoft, als je aan haar komt, kom je aan mij, je zus respecteer je!" We schreeuwden allemaal door elkaar, totdat er iemand op de deur klopte. We stonden echt verlamd, niemand zei wat of bewoog zich. Johnefe reageerde en gaf ons een teken dat we naar de badkamer moesten gaan en Ferney kroop in de kast. En toen moesten we opendoen, want ze zeiden dat ze anders de politie zouden bellen.

"Wat is hier aan de hand?" vroeg de man van het hotel.

"Wat er aan de hand is? Niks hoor, meneer de manager," antwoordde Johnefe.

"En dat geschreeuw dan?" vroeg die man van het hotel door.

"Geschreeuw? Dat moet de televisie zijn geweest, meneer de manager."

"We hoorden vrouwen huilen."

"Vrouwen huilen nou eenmaal om alles, meneer de manager," legde Johnefe uit.'

Bijna altijd als Rosario me iets van dit kaliber vertelde, onderbrak ze zichzelf om een sigaret op te steken. De eerste trekjes rookte ze in stilte, met haar blik op een onbestaand punt gericht, gevangen in die herinnering die haar dwong te roken.

'We waren zo geschrokken,' zei ze na een tijdje, 'dat we de rest van de nacht via gebaren met elkaar praatten. We vroegen niks meer en gingen slapen. De jongens bleven samen zitten drinken. De volgende dag vertrokken ze heel vroeg. Deisy en ik hadden ze niet weg horen gaan, maar we hadden wel gemerkt dat ze niet hadden geslapen. Om een uur of tien 's ochtends kwam er een vent in een super-de-luxe pick-up die ons naar een buitenhuis ergens bij Melgar bracht. Je hebt geen idee wat een villa, een kast van heb ik jou daar met zwembaden, tennisbanen, paarden, watervallen, bedienden, het leek wel een sportclub daar. Deisy en ik trokken onze tanga's aan en gingen zonnebaden. 's Avonds om een uur of twaalf kwamen de jongens terug. Ze waren dronken, maar zagen er tevreden uit, ze lachten hard, omhelsden elkaar, ze zaten een beetje met ons te dollen, ze bestelden nog meer drank, haalden coke tevoorschijn en ze bouwden een feest dat drie dagen duurde. Deisy en ik hadden besloten geen vragen meer te stellen, maar ik had wel in de gaten dat die klus was afgewerkt, maatje.'

Rosario stak de ene sigaret met de andere aan. Dit keer duurde de stilte wat langer, de trekjes waren trager, haar blik was verlorener. Soms, zoals nu, veranderde ze zelfs abrupt van onderwerp en kwam ze van een kogel ineens op een lied, van een dode op een opmerking over de hitte de laatste tijd in Medellín. Je kon maar beter niet aandringen, je moest gewoon geduldig wachten op het volgende hoofdstuk, tot de hoofdrolspeelster besloot het toneel weer te betreden.

'Wat is het toch heet in Medellín,' zei ze na de stilte.

'Het klimaat is hier aan het veranderen,' zei ik, zoals alle mensen zeiden.

Het klopte dat het 'heter' was geworden in de stad. De angst en de onrust waren smorend. We zaten al tot aan onze nek toe in de doden. Elke dag werden we gewekt door honderden kilo's zware bommen die eenzelfde aantal verschroeide lijken achterlieten en de gebouwen in hun geraamtes zetten. We probeerden eraan te wennen, maar de knal van elke explosie slaagde in zijn opzet om de angst er nog dieper in te krijgen. Veel mensen waren weggegaan, uit beide delen van de stad, de een op de vlucht voor de terreur en de ander uit angst voor represailles vanwege zijn daden. Voor Rosario was de oorlog de extase, de verwezenlijking van een droom, de explosie van de instincten. 'Zo is het wel de moeite waard om hier te wonen,' zei ze.

Het was zij tegen ons, oog om oog voor al die jaren dat het wij tegen hen was geweest. Met Rosario in ons kamp – of wij in dat van haar – wisten we niet welke positie we moesten innemen, vooral Emilio, want ik had al niets meer te zeggen; ik moest mijn kamp aanvaarden, de enige mogelijke keus, die waar het hart over beslist. We kozen echter nooit partij, we volgden alleen Rosario in haar vrije val. We wisten net zomin als zij waar al die kogels en doden goed voor waren, we genoten net als zij van de adrenaline en de foute dingen die bij haar leven hoorden, terwijl we ieder op onze eigen manier van haar hielden. We waren met velen, en ieder voor zich zocht naar iets anders achter een en dezelfde vrouw: Ferney, Emilio, de keiharde jongens en ik, die het dichtst bij haar en het verst van haar af stond.

'Ik weet niet waarom,' zei ze eens een keer, 'maar jij bent anders dan alle anderen.'

Hoewel ik er niets aan had, vond Rosario ook een manier om mij te leren kennen, niet zo grondig als ik haar, maar meer door haar spontane ingevingen. Ze had over iedereen haar mening klaar, maar ik was de enige gelukkige aan wie ze nieuwe kanten ontdekte, de enige die ze diepe vragen stelde, de enige bij wie ze doorvroeg om iets te ontdekken wat ze zelf nooit had gehad. Maar ze schrok ervoor terug, doodsbang werden we allebei die nacht, die enige nacht, toen we weer dichtdeden wat we hadden opengedaan, alsof we het nooit gezien hadden.

'Laten we de zaken niet ingewikkelder maken dan ze al zijn, maat,' zei ze die nacht.

Ik sloot mijn ogen, het enige wat ik sindsdien nog open mocht hebben, en bedacht hoe dom ik was geweest en dat het al te laat was, want ingewikkelder konden de zaken er niet voor staan.

7

Het fletse violetpaars dat de ochtend aankondigt, is tot in de wachtkamer doorgedrongen. De kerststal geeft nog licht, maar de bergen verdwijnen niet meer in de nacht. De oude man die bij me zit, slaapt met zijn mond open, een draadje kwijl loopt over zijn overhemd. Ik heb de indruk dat ik ook even ben ingedommeld, slechts een paar seconden misschien, maar lang genoeg om er een droge mond en een zwaar hoofd aan over te houden. Er loopt niemand door de gangen. De verpleegster daar achter de balie is nog steeds in een diepe slaap. Ik heb het ineens koud gekregen, ik heb mijn armen om me heen geslagen en bedenk dat die kou niet van buiten komt, maar aan mijn binnenste is ontglipt, precies op het moment dat ik me realiseerde dat er een ongewone stilte in het ziekenhuis heerste.

Ze zijn allemaal dood, dacht ik.

Maar als ik besef dat dat 'allemaal' ook Rosario inhoudt, schuifel ik met mijn voeten, hoest ik en wip met mijn leunstoel om die stilte te verbreken. De oude man doet zijn ogen open, veegt het kwijl weg, kijkt me aan, maar zijn oogleden zijn zo zwaar dat hij zijn vermoeidheid niet de baas wordt. De stoel van de verpleegster kraakt ook. We leven nog, en Rosario vast ook. Ik had even tevoren zin gehad om Emilio te bellen, maar die was alweer over.

'Ben je niet bang voor de dood, Rosario?' had ik haar gevraagd.

'Niet voor de mijne,' antwoordde ze, 'maar wel voor die van de anderen. En jij?'

'Ik ben overal bang voor, Rosario.'

Ik wist niet of ze het had over de doden die zij had veroorzaakt of over die van haar dierbaren. Want ik denk dat haar zwaarlijvigheid na de moorden meer te maken had met angst dan met verdriet om het verlies. Toen ik de schok dat Rosario in koelen bloede moordde te boven was, voelde ik een vertrouwen en een zelfverzekerdheid die ik niet kon thuisbrengen. Mijn angst voor de dood werd minder, ongetwijfeld omdat ik met de dood in eigen persoon optrok.

'Ik stel me de dood voor als een hoer,' zo beschreef ze, 'met een minirokje, rode schoenen met hoge hakken en een mouwloos shirtje.'

'En donkere ogen,' zei ik.

'Net zoiets als ik, of niet?'

Ze vond het niet erg om op de dood te lijken of hem te verpersoonlijken. Er was een tijd dat ze haar gezicht wit opmaakte, haar lippen en ogen zwart schilderde en een paars poeder om haar ogen deed, alsof ze kringen had. Ze droeg zwarte kleren en handschoenen tot aan haar ellebogen, en om haar hals hing een omgekeerd kruis. Dat was in de dagen dat ze helemaal opging in het satanisme.

'De duivel is een toffe vent,' zei ze.

Ik vroeg wat er met Maria van Altijddurende Bijstand, het Goddelijke Kind en de heilige Judas Taddeüs was gebeurd. Ze zei dat Johnefe haar had gezegd dat je overal steun moest zoeken, bij de goeden en bij de slechten, en dat er plek was voor allemaal.

'Maar Johnefe zegt dat de duivel het gulst is,' lichtte ze toe.

Ze zei dat dat niks nieuws was en dat ze ons mee zou nemen zodat we konden zien hoe het zat, dat het helemaal te gek was, beter dan welke drug ook.

'Wat?! Ga je ons meenemen naar de duivel?' zei ik, zonder mijn angst te verbergen.

'Bekijk het effe!' zei Emilio. 'Op mij hoef je niet te rekenen.'

'Op mij ook niet,' zei ik.

'Stelletje watjes,' zei Rosario. 'Daar ben ik mooi klaar mee, met twee van die sukkels.'

We zijn nooit meegegaan. Met dat verhaal dat je een glas kattenbloed moest drinken alleen al, wist ik wel genoeg. Bovendien hoorde je de raarste dingen.

'Er worden ook kinderen geofferd,' vertelde Emilio me in vertrouwen. 'Ze worden ontvoerd en op een altaar gelegd, en dan snijden ze hun keel open en drinken hun bloed. Daarom is er de laatste tijd zoveel jong grut verdwenen.'

'En dat met die maagden,' voegde ik eraan toe, 'zou dat echt zo zijn?'

'Dat ze ze doodmaken denk ik wel, maar maagden, dat betwijfel ik.'

Rosario ergerde zich aan ons gegniffel.

'Lach maar, sukkels, lach maar, maar als je flink in de shit zit, hoef je niet bij mij aan te komen.'

Haar enthousiasme voor het satanisme was van korte duur. Zonder dat we er iets van hadden gezegd, liet Rosario geleidelijk aan het witte gezicht, de kringen rond haar ogen en de donkere mond achterwege en gebruikte ze weer de kleuren van altijd. Ze wierp de aura van geheimzinnigheid van zich af en was weer terug met haar botte opmerkingen. Ik kon het niet nalaten om haar te vragen wat er met de duivel was gebeurd.

'Ik trok die muziek niet,' zei ze. 'Het is gewoon takkeherrie. Ik hou van heel wat anders. Mooie liefdesliedjes waarbij je snapt waar ze het over hebben en die over toffe dingen gaan.'

Dat is iets wat ik nooit van Rosario heb begrepen, die tegenstelling tussen enerzijds de romantische liedjes die ze zo mooi vond en anderzijds haar gewelddadige aard en haar schrale manier van liefhebben.

'Waar hou je dan van, Rosario?'

'Dat weet je toch. María Conchita, Juan Gabriel, Paloma, Perales, fantastische mensen die zingen met hun hand op hun borst en hun ogen dicht.'

De andere reden waarom ze het wel had gezien met de satanisten had Rosario voor ons verzwegen. Daar kwamen we achter omdat Gallineto het ons op een feest vertelde, toen hij zo strak als een deur stond.

'De kleine heeft een vent van de sekte omgelegd. Wisten jullie dat niet? Ik dacht dat het nieuwtje wel rond was gegaan. We deden een spelletje, allemaal uit de kleren en iedereen met iedereen. We hadden al iets van vijf pakketjes gerookt, dus we konden maar weinig hebben, en de kleine had last van een gozer die hardhandig aan haar zat. Hij had haar met zijn knie helemaal in een hoekje geduwd en ging heel lomp tekeer, en wat er toen gebeurde, ik stond er met m'n neus bovenop, die kleine liet het ineens allemaal heel braaf over zich heen komen, weet je wel, alsof ze het leuk begon te vinden, en ze begon die vent kusjes te geven en liet hem lekker zijn gang gaan, en toen ineens bam! hoorden we een knal, heel maf, heel maf klonk dat, en ja, tuurlijk, die vent zakte in mekaar, helemaal onder het bloed, en die kleine haar ondergoed werd ook smerig, weet je wel, en ze gaf hem een duwtje met haar voet en zei toen iets wat ik ben vergeten, en moet je horen, iedereen die daar in z'n nakie stond kreeg spontaan een slappe, maar zij stopte heel cool die blaffer in haar tas, kleedde zich aan en liep weg zonder iets te zeggen, en we waren allemaal heel nieuwsgierig waar ze dat pistool vandaan had gehaald, en ik keek naar Johnefe en zei: "De kleine kan zich al prima redden."

"Wat heeft die klootzak met de kleine gedaan?" zei Johnefe, om hem nog eens kapot te schieten.

"Cool down, man," zei ik. "Ze heeft het allemaal al opgelost, laten we liever het bloed van die gast gebruiken, ik heb dorst."

"Bloed van teringlijers valt bij mij niet zo lekker," zei Johnefe.'

Rosario zei later tegen ons dat het allemaal leugens waren van Gallineto. Ze was daar alleen maar weggegaan vanwege de muziek en als we haar niet geloofden, moesten we het maar aan haar broer vragen, maar toen we het verhaal hoorden was Johnefe al dood. Daarop schermde ze met haar tweede bewijs van onschuld: 'Of hebben jullie mij daarna soms dik gezien, nou?'

Rosario bracht ons steeds meer in verwarring. Er werden verhalen over haar de wereld ingestuurd, maar je kwam er onmogelijk achter welke ervan waar waren. De verzonnen verhalen verschilden niet veel van de waargebeurde, en Rosario's geheimzinnige gedoe en haar regelmatige verdwijningen dwongen je te geloven dat ze allemaal mogelijk waren. In de sloppenwijken van Medellín werd Rosario Tijeras een idool. Je zag het op de muren in de wijken: 'ROSARIO TIJERAS, LEKKER DING', 'CASTREER ME AL ZOENEND, ROSARIO T.', 'ROSARIO TIJERAS PRESIDENT, PABLO ESCOBAR VICE-PRESIDENT'. De meisjes wilden zijn zoals zij, en we hoorden dat er een aantal María del Rosario, Claudia Rosario, Leidy Rosario waren gedoopt, en op een dag vertelde onze eigen Rosario over ene Amparo Tijeras. Haar levensverhaal verwierf dezelfde verhouding tussen werkelijkheid en fictie als dat van haar bazen. En zelfs ik, die de geheime hoekjes van haar leven kende, raakte in de war van de versies die van buiten kwamen.

'Emilio, heb je gehoord wat er wordt verteld?'

'Hou op, man,' zei hij, 'ik word er gek van.'

Ook in onze groep slopen de ondoorzichtige verhalen over Rosario binnen, verhalen die gedeeltelijk waar waren en waaraan de rest van mond tot mond werd toegevoegd, aangepast aan de behoeften van de gesprekspartner. In sommige ervan kwamen wij ook voor. Ik hoorde zoveel dingen dat ik ze nooit allemaal aan haar verteld kreeg. Maar ze genoot er met volle teugen van.

'Vertel eens, maatje, wat zeggen ze nog meer over mij?'

'Dat je er tweehonderd vermoord hebt, dat je gouden kiezen hebt, dat je een miljoen peso's per wip vangt, dat je ook op vrouwen valt, dat je staand plast, dat je je tieten hebt laten opereren en je kont hebt laten vergroten, dat je het liefje bent van je-weet-wel, dat je een kerel bent, dat je een kind van de duivel hebt, dat je de baas bent van alle huurmoordenaars in Medellín, dat je zwemt in het geld, dat je meiden die je niet moet de kop laat kaalscheren, dat je tegelijkertijd met Emilio en met mij naar bed gaat... Dat is nogal wat, vind je niet? Stel dat het allemaal waar was.'

'Niet allemaal,' zei ze. 'Maar de helft wel.'

Ze had wel gewild dat het allemaal waar was, en ik ook. Want ik hoorde bij die andere helft, bij de verhalen die nooit gebeurd waren, samen met het kind van de duivel, gelogen, want Rosario heeft nooit kinderen kunnen krijgen, met de valse tieten en de nepkont, gelogen, want ik heb ze aangeraakt, één keer maar, één nacht maar, en nooit ervoor of erna zou ik nog iets aanraken dat zo echt was, zo mals, zo mooi, samen met de Rosario die een kerel zou zijn, gelogen, want niemand was zo op en top vrouw.

'Wat zeggen ze nog meer, maat, vertel eens.'

'Pure onzin. Dat ik verliefd op jou zou zijn. Kun je nagaan.'

'Jee! Ze weten echt niet meer wat ze moeten verzinnen,' zei ze, en dat was de doodsteek.

'Kun je nagaan,' zei ik zieltogend.

Liefde maakt alles kapot, liefde maakt laf, maakt klein, haalt je door het slijk, stompt af! Op een keer, na een vergelijkbaar voorval, sloot ik me op in de wc van een discotheek en sloeg ik mezelf in mijn gezicht tot het gloeide. Klets! sukkel die je bent, klets! slapjanus, en hier! lafbek. Hoe harder ik sloeg, hoe kwader ik op mezelf werd en hoe onnozeler ik me voelde toen ik moest wachten tot het rood van de klappen zou wegtrekken en ik uit de wc kon komen. Ik zat ook nog eens twee weken met mijn mond halfopen vanwege een zere kaak. Ik zwoer dat ik moed zou verzamelen om haar te vertellen wat ik voor haar voelde, maar ik heb me daarna nog heel vaak in dezelfde wc opgesloten, waar ik mezelf in mijn gezicht sloeg om de woorden te oefenen waarmee ik haar mijn liefde zou opbiechten.

'Rosario, ik ben verliefd op je.'

'Rosario, ik wil je al heel lang iets vertellen.'

'Rosario, raad eens wie er verliefd op je is.'

Ik heb haar deze woorden noch de talloze andere die ik klaar had, nooit verteld. Gefrustreerd liep ik terug om mezelf een klap te verkopen voor de spiegel, de enige die luisterde.

'Zit je aan de coke?' vroeg Emilio.

'Nee, hoezo?'

'Dat rare rondhangen van jou bij de wc's.'

'Ik ben enorm aan de zeik.'

'En die rode wangen,' voegde hij eraan toe.

Ik heb nooit gesnapt hoe het kon dat zij en ook de anderen het niet in de gaten hadden. Emilio's vermoedens kwamen niet verder dan een paar domme vragen, en als zij iets had geweten, was ze nooit zo close en vertrouwelijk met me geweest. Ik wist zeker dat iedereen het wist, want liefde zie je. Daarom hield ik altijd hoop, omdat ik Rosario nooit naar Emilio, Ferney of wie dan ook had zien kijken zoals ik naar haar keek, nooit heb ik haar van de keiharde jongens zien terugkeren met die verraderlijke twinkeling in haar ogen.

En wanneer ik door twijfel werd bevangen, vroeg ik haar opnieuw, om in haar verleden een klein smeulend restje te vinden van haar vermogen om lief te hebben: 'Ben je wel eens verliefd geweest, Rosario?'

8

Emilio had me verteld dat hij me aan de vrouw van zijn leven zou voorstellen: Rosario. Aangezien hij altijd hetzelfde zei, geloofde ik hem ook dit keer niet. Ik hield me in die dagen vanwege liefdesverdriet en een paar deelexamens afzijdig van ons gezamenlijke nachtleven. Het was me niet vreemd om me om deze redenen te moeten opsluiten, de liefde en het studeren zijn me altijd zwaar afgegaan. Maar als ik mijn hart weer bij elkaar had geraapt en mijn studie weer had opgepakt, ging ik 's nachts weer op strooptocht in de discotheken om, geanimeerd door de muziek en de alcohol, de blikken van mogelijke nieuwe kandidates te ontcijferen. Over het algemeen haakte ik na korte tijd alweer af en sloot ik me opnieuw op om mijn onvoldoendes op te halen en te herstellen van die vervloekte liefde. Zo ging het altijd, totdat Rosario kwam.

'Je kent haar al,' zei Emilio. 'Het is een van die meiden die altijd boven zitten.'

'Hoe zei je dat ze heette?' vroeg ik.

'Rosario. Je hebt haar al gezien.'

'Rosario hoe?' vroeg ik door.

'Rosario... weet ik niet meer.'

Ik zocht in mijn hoofd naar iemand van de onzen, daarom vond ik het raar dat ik me haar niet herinnerde, het waren eigenlijk altijd dezelfde lui die naar die plekken gingen. Toen ik haar kort daarop eindelijk leerde kennen, snapte ik waarom ik niet op haar was gekomen. Emilio wees haar aan. Ze stond in haar eentje te dansen in het hogere gedeelte waar zij altijd zaten, want nu ze meer geld hadden dan wij – en misschien ook wel omdat ze er altijd aan gewend waren geweest om de stad van bovenaf te zien –, was de beste plek in de discotheek voor hen. Uit nevel en flikkerend licht, uit de rookwolken die werden uitgestoten, uit een wirwar van armen die het ritme van de muziek volgden, doemde Rosario op als een futuristische Venus, met zwarte, kniehoge laarzen met plateauzolen die haar ver boven het podium waarop ze stond te dansen verhieven, in een zilveren minirokje en een neongroen navelshirtje zonder mouwen, met haar koffiebruine huid, haar zwarte haar, haar witte tanden, haar volle lippen en ogen die ik er zelf bij moest verzinnen omdat ze ze tijdens het dansen dichthield opdat niemand haar uit haar wereldje zou halen en niets haar van de muziek zou afleiden, of misschien ook wel om de stuk of tien kinkels niet te hoeven zien die haar als hun eigendom zagen en haar insloten in een kring waarvan ik niet weet hoe Emilio erdoorheen was gekomen.

'Dat is nog niks,' zei Emilio, 'telkens als ze naar de wc gaat loopt er een gozer met haar mee.'

'Hoe heb je haar dan leren kennen?'

'In het begin wierpen we elkaar blikken toe. We keken de hele tijd naar elkaar. Als ik me omdraaide om haar te zien stond zij al naar me te kijken en als zij zich omdraaide om mij te zien, betrapte ze mij op hetzelfde; op een gegeven moment moesten we lachen, dus toen keken we naar elkaar én lachten erbij, en daarna ging zij naar de wc en liep ik erachteraan. Maar de eerste waar ik tegenop botste was die bullebak die haar geen moment alleen liet.'

'En toen?'

'Niks,' ging hij verder, 'we konden niks doen, alleen een beetje kijken en glimlachen, maar ik geloof dat die gozer haar doorkreeg, want er brak me toch een heibel uit. Er werd geschreeuwd en geduwd en getrokken en eentje greep haar bij de arm. Maar ze verweerde zich, ze schopte die kerel zelfs en keek me af en toe aan, en de gast die met haar meeliep naar de wc wees een paar keer naar mij, maar zij bleef protesteren, en het werd een rel waar iedereen zich mee bemoeide.'

'En toen?' vroeg ik verder.

'Niks. Ze werd onder dwang afgevoerd. Maar je hebt geen idee wat voor blik ze me toewierp toen ze naar buiten liep. Je hebt gewoon geen idee.'

In plaats van dat het verhaal me boeide, maakte het me bang. We hadden al gehoord dat een paar van ons een kogel in hun lijf hadden gekregen of een andere discotheek hadden kunnen gaan zoeken omdat ze het met de meiden van die lui hadden aangelegd. Ik was ervan overtuigd dat Emilio geen uitzondering zou zijn. Toen hij me het verhaal vertelde, had zij de situatie echter inmiddels onder controle en was ze de nieuwe vriendin van Emilio.

'De volgende dag kwam ze alleen terug. Stel je voor, man, alleen, zonder de bende, alleen met een vriendin, die we trouwens aan je gaan voorstellen want dat is best wel wat.'

'Loop niet in mijn leven te rotzooien, Emilio, vertel nou maar gewoon verder.'

'Nou, zij kwam dus alleen, maar ik was daar met Silvana.'

'Met Silvana?!' vroeg ik. 'Ga weg. En toen?'

'Nou, Rosario stond me daar met haar ogen uit te kleden, maar Silvana zat in de weg, en toen paste ik het oude trucje toe en zei dat ik me niet zo lekker voelde. Ik vroeg de rekening en toen ik naar buiten liep, gebaarde ik naar Rosario dat ik zo terug was.'

'Waarom rij je toch zo hard, Emilio? Vanwaar die haast?' vroeg Silvana.

'Ik voel me echt heel beroerd, schat,' had hij geantwoord. 'Heel beroerd.'

'Wat ben jij een schoft, Emilio,' zei ik.

'Hoezo schoft??' zei hij. 'Als er zo'n mokkel op je staat te wachten.'

'En had ze op je gewacht?'

'Ja, tuurlijk, sukkel, alle vrouwen wachten toch op mij. En lekker, jongen, je hebt geen idee. In het begin een beetje verlegen allebei, maar daarna...'

'Hoe heet je?' had Emilio gevraagd.

'Rosario,' had ze geantwoord. 'En jij?'

'Ik? Emilio.'

Emilio had het echt goed voor elkaar, en wel zo goed dat hij de uitzondering bleek te zijn. We wisten niet wat het was met Rosario, want hoewel haar vrienden bleven komen, waagden ze zich nooit bij ons in de buurt en vielen ze Emilio niet lastig, al helemaal niet meer na het incident met Patico. De enige die zijn ogen niet van hen afhield als hij kwam, die niet danste omdat hij naar hen keek, die zijn hand niet van de kolf van zijn pistool haalde, die de tranen in zijn ogen kreeg wanneer er een schuifelnummer kwam, was Ferney. Hij troonde hoog op zijn balkon, bestelde een fles whisky en ging zo zitten dat hij ze altijd tegenover zich had om woedend naar ze te kijken, en hoe dronkener hij werd, hoe meer woede en pijn je in zijn ogen zag. Maar hij stond nooit op van zijn stoel, niet eens om te plassen.

Aanvankelijk kon ik niet voorkomen dat ik enige sympathie voor hem voelde, een zekere solidariteit met iemand die onomstotelijk tot mijn lotgenoten behoorde. Ferney was van de club van de stillen, die met een dichtgeknepen keel, de strontvreters die nooit zeggen wat ze voelen, die hun liefde voor zich houden en laf wegstoppen, die in stilte beminnen en door het slijk gaan. Terwijl hij naar ons keek, keek ik vanuit mijn ooghoeken naar hem. Ik snapte niet waarom hij zo geobsedeerd was, totdat ik haar beter leerde kennen, totdat ze bij mij begon binnen te dringen, totdat Rosario in mijn hart haar vernielingen aanrichtte en ik verloren was. Toen begreep ik hem en wilde ik het liefst een stoel naast de zijne zetten om samen met hem dronken te worden en met diezelfde pijn en diezelfde woede naar haar te kijken en vanbinnen te huilen wanneer Emilio haar kuste, wanneer ze met elkaar dansten, wanneer hij haar stiekem de plannetjes influisterde die ze later zouden uitvoeren.

'Die Ferney is echt niet goed wijs,' zei Rosario. 'Moet je kijken, snap jij hem nou?'

'Misschien is hij nog verliefd,' zei ik, om hem te verdedigen.

'Dat is nou net het achterlijke,' zei Rosario. 'Gaan zitten lijden om de liefde.'

Waar ben je van gemaakt, Rosario Tijeras? vroeg ik me altijd af als ik haar zulke dingen hoorde zeggen. Waar ben je van gemaakt? dacht ik telkens als ik haar naar de keiharde jongens zag gaan, telkens als ik haar mager zag vertrekken en dik zag terugkomen, telkens als ik terugdacht aan onze nacht samen.

'Die is binnen,' zei Emilio, in zijn handen wrijvend. 'Dat wordt denk ik vanavond nog de koffer in.'

De eerste keer dat ze met elkaar naar bed gingen, hechtte ik er weinig belang aan, sterker nog, ik weet niet eens meer wanneer het was. Rosario had haar verwoestingen nog niet in me aangericht. Toen Emilio me erover vertelde, dacht ik alleen maar dat hij met vuur speelde en dat ze hem zouden vermoorden. Al kwam Ferney dan niet in de buurt, hij liet in die tijd wel boodschappen overbrengen, en ik was bang dat hij zijn dreigementen zou uitvoeren. Ik hing destijds meer aan Emilio en maakte me zorgen over wat hem kon overkomen. Ik durfde zelfs Rosario over mijn angsten te vertellen.

'Rustig maar,' antwoordde ze. 'Mijn broer heeft gezegd dat ze van ons af moeten blijven.'

Niet dat die gozer Emilio had willen beschermen, ze kenden elkaar niet eens. Het was om haar, want zijn zusjes wil was wet. De 'schrik van de sloppenwijken', de onderbaas die paniek zaaide in Medellín, ging als een weerloze sul door de knieën voor de grillen van zijn kleine zusje.

'De kleine moet zelf beslissen,' zei Johnefe altijd.

Maar toen hij werd vermoord, keerden mijn angsten terug. Nu Johnefe er niet meer was, werd Ferney de bendeleider, en hij was door de dood van zijn vriend veel gewelddadiger geworden en ging ook veel bezitteriger met Rosario om. Hij wilde haar broer vervangen en zijn plek als vriendje heroveren. Maar Rosario wilde geen van beide.

'Doe jij nou maar kalm aan, Ferney,' zei ze, 'ik kan al heel goed op mezelf passen en ik hoef ook helemaal geen vriendje.'

'En die eikel van een Emilio?' vroeg Ferney.

'Emilio is Emilio,' antwoordde ze.

'Hoezo? En ik dan?'

'Jij bent Ferney.'

Het gebeurde wel vaker dat ze er zich met dit soort vage antwoorden van afmaakte als ze iets moeilijk uit te leggen vond. Voor Ferney, die net zo langzaam nadacht als hij schoot, zat er niets anders op dan op zijn hoofd te krabben en weer eens flink op Emilio te schelden.

'Hoe dan ook,' zei ik tegen Rosario, 'ik vertrouw die Arley nog steeds niet.'

'Ferney.'

'Die bedoel ik,' ging ik verder. 'Vandaag of morgen gaat hij over de rooie en flikt ie er weer eentje.'

'Welnee, hij is een hoop veranderd,' zei ze. 'Je had hem vroeger moeten kennen, dan was je pas echt geschrokken. Kun je nagaan, op een keer toen we nog verkering hadden, gingen we naar de bioscoop om een film te zien met Schwarzenegger, want die keken we allemaal. Maar toen ging er een gozer achter ons zitten die vanaf dat hij binnenkwam de hele tijd chips zat te eten, en Ferney werd helemaal niet goed van het gekraak van dat zakje. Hij zei tegen me dat hij zich niet kon concentreren en dat klopte, want hij keek de hele tijd achterom en dan weer naar voren, totdat hij het niet meer uithield: "Sorry, makker, maar het gekraak van dat zakje van je is heel irritant."

Die gozer gaf geen sjoege, hij keek niet eens op en at gewoon door. Sterker nog, toen hij klaar was, maakte hij een nieuw zakje open. En Ferney zei nog eens: "Sorry hoor, maat, maar ik geloof dat je me niet goed gehoord hebt. We hebben last van het gekraak van dat zakje, kun je die chips niet voor later bewaren?"

Die gozer vertrok geen spier,' ging Rosario verder, 'maar Ferney werd nu echt pisnijdig. Hij draaide zich helemaal om tot hij die gast voor zich had, trok zijn blaffer, zette hem op zijn buik en schoot. De vent bewoog amper. Hij liet het zakje vallen, keek naar zijn buik en bleef zo zitten, met een geschrokken gezicht, alsof we een horrorfilm zaten te kijken.'

94

'En de mensen, wat deden die?' vroeg ik.

'Niks. Niemand had het gemerkt, want Ferneys schot klonk tegelijk met een heftige schietpartij op het doek.'

'En hebben jullie de film afgekeken?'

'Welnee, maat. Ferney zei: "Kom, we gaan, ik heb het wel gezien hier."'

Dat was dus Emilio's vijand. En Rosario maar tegen me zeggen dat ik me niet druk moest maken. Als dit allemaal was gebeurd vanwege een zakje chips, dacht ik, wat zal hij dan wel niet doen als hij liefdesverdriet heeft. Als zelfs ik, die geen vlieg kwaad doe...

'Het zit zo, maat,' zei Rosario. 'Hij weet dat hij mij ermee pakt als hij Emilio iets aandoet, en wat ik in ieder geval zeker weet, is dat Ferney mij nooit pijn zou durven doen.'

Rosario wist hoe ze haar pionnen moest verzetten, ze kende haar mensen en wist wat ze van hen kon verwachten. En wie haar iets flikte, wist dat dat werd goedgemaakt met een kus en bestraft met een schot, van dichtbij, precies zoals Ferney het haar had geleerd.

Ze deed altijd waar ze zin in had, ze gaf zelf toe dat ze als klein meisje al eigenwijs was. Daarom was ze bij haar moeder weggegaan en bij haar broer ingetrokken, en misschien vertrouwde ze daarom haar hart ook nooit aan iemand toe. Rosario was nergens aan gebonden, zelfs niet aan de keiharde jongens, tegenover wie ze zich altijd toegeeflijk opstelde.

'Maar de dag dat ze zich niet aan hun woord houden, ben ik pleite,' zei ze.

'Waarmee zich niet aan hun woord houden?'

'Het is een deal, maat, een mondelinge deal, en als ik me aan mijn woord hou, moeten zij dat ook doen.'

Ik hoorde die argumenten ongeveer elk jaar rond dezelfde tijd aan, wanneer ze haar nieuwe eisen stelde en hen aan de voorwaarden van de overeenkomst herinnerde. Zo kreeg ze het voor elkaar dat ze haar een nieuwe flat of een nieuwe auto gaven of haar bankrekening spekten.

'Als ze me nog terug willen zien, moeten ze m'n Mazdaatje maar inruilen,' zei ze. 'Dat wordt onderhand tijd.'

Ik weet zeker dat Ferney het eigenlijk wel leuk vond dat Rosario doorging met hen; hij genoot ervan om Emilio als een hoopje ellende te zien, ook al had hij haar zelf voorgoed verloren. Het verschil was dat in Rosario's ogen de relatie met Emilio helemaal niet veranderde. Voor haar was dat met die keiharde jongens een soort wederzijdse vriendendienst, waarbij iedereen het beste gaf wat hij geven kon.

'En Emilio is Emilio,' hield ze vol.

Maar Emilio zag dat toch anders. Wat hem betrof, was het je reinste hoererij. Wat hem echter het meest verdriet deed, was dat iedereen het wist, en vooral ook omdat hij de laatste was die het hoorde. Doordat we zo dicht bij haar stonden, waren Emilio en ik de laatsten die erachter kwamen waar Rosario zonder iets te zeggen naartoe ging. Er gingen geruchten, maar aangezien die bijna altijd van jaloerse tongen kwamen, schonken we er weinig aandacht aan. Later zou uitgerekend Ferney met het verhaal naar ons toe komen. Maar we twijfelden nog, want we wisten dat Ferney gekrenkt was en daardoor elke gelegenheid zou aangrijpen om een einde aan de relatie te maken. We konden het dus alleen nog maar aan Rosario zelf vragen.

'Vraag jij het maar,' zei Emilio. 'Jou vertrouwt ze meer.'

'Waarom ik?' verweet ik hem. 'Jij bent haar vriendje.'

We waren doodsbang. We dachten dat Rosario zou antwoorden dat we konden opsodemieteren en dat we haar door een roddel zouden kwijtraken. Totdat we haar op een dag, nadat ze een heel weekend zoek was geweest, goedgehumeurd zagen terugkomen en besloten dat dit het moment moest zijn.

'De mensen kletsen wat af,' begon ik. 'Ze weten echt niet meer waar ze het over moeten hebben.'

'Er gaan echt de gekste roddels rond,' ging Emilio verder. 'Je hebt geen idee wat ze allemaal vertellen.'

'Dat valt wel mee,' zei Rosario. 'De helft is waar en de helft is gelogen.'

'En welke helft is waar?' vroeg Emilio.

'Vast de helft die je pijn doet,' antwoordde ze.

Dat klopte. Ze had al met hen te maken voordat ze ons leerde kennen. Terwijl Emilio als een dolle met stoelen liep te smijten, tegen deuren schopte en meubels aan diggelen sloeg, zat ik me vanbinnen op te vreten. Er kwam steeds weer iemand bij die haar verder van me weg dreef. Emilio, de maatschappij, Ferney, en nu zij. Rosario zweeg terwijl Emilio de flat kort en klein sloeg. Ze zei geen woord terwijl hij huilde, wild om zich heen sloeg en vloekte. Ik hulde me ook in stilzwijgen en wachtte net als zij tot Emilio klaar was met zijn vertoning. Maar ook tot zij me zou aankijken, tot ze iets tegen me zou zeggen, me in haar bekentenis zou betrekken. Ik weet nog steeds niet of ze me expres negeerde of dat ze niet in staat was om me aan te kijken. Het is ongetwijfeld erger om je vrienden te verraden dan je geliefde.

Ik moet weer denken aan Emilio en hoe Rosario's duistere zaakjes hem van streek maakten. Ik heb ineens het gevoel dat ik hem nog een keer moet bellen.

'Ik zit al een hele tijd op je telefoontje te wachten, man, hoe staat het ervoor?'

'Ik heb inmiddels een dokter gesproken,' vertelde ik. 'Die zegt dat ze vol kogels zit.'

'De kogels van gisteravond of die van daarvoor?'

'Ze hebben meerdere keren van dichtbij op haar geschoten.'

'Terwijl ze haar kusten,' voegde Emilio eraan toe.

'Hoe weet jij dat?' vroeg ik.

'Ze krijgt met gelijke munt betaald.'

Ik herinner me de keren dat ik Rosario andere mannen zag kussen en hoe ze na een droog schot van heel dichtbij dood naar de grond zakten, aan haar vastgeklampt alsof ze haar wilden meesleuren in haar dodelijke kus.

Ik herinner me Emilio's woorden toen hij haar voor het eerst had gekust. Hij pronkte altijd met de eerste succesjes in zijn veroveringen: de eerste keer handjes vasthouden, de eerste zoen, de eerste keer in bed. Ditmaal was zijn commentaar echter niet triomfantelijk geweest, maar eerder verontrustend.

'Haar kussen smaken heel raar.'

'Naar wat dan?' vroeg ik.

'Ik weet niet. Een heel rare smaak,' zei hij. 'Naar dood, lijkt wel.'

9

Emilio en ik hadden vanaf de lagere school een vriendschap opgebouwd die elke storm kon doorstaan. Het was een pact zonder woorden, bloedbroederschap of dronken beloften. Het was gewoon een wederzijdse genegenheid die zou uitgroeien tot een vriendschap voor het leven. Ik ontdekte in hem de moedige kant die ik zelf niet had. Ik was niet het type dat zich zonder zich te bedenken in het ongewisse stortte en Emilio was dat wel. Ik denk dat hij in mij de lafaard vond die in hem niet bestond, maar die hij nodig had om zich in geval van gevaar twee keer te bedenken. Ik was niet alleen dol op hem, maar bewonderde hem ook in die jaren. Emilio had de vrouwen, het geld, de drank, de spannende dingen van het leven. Ik zag hoe hij zich vrij bewoog, zonder morele hindernissen, zonder schuldgevoelens, genietend van elke dag alsof het een geschenk was. Ik probeerde op mijn beurt angstvallig die manier van leven, die onder jongeren gangbaar was, bij te benen. Maar in mijn eentje hield ik me stiekem bezig met lezen en existentialistische gedachten die botsten met mijn wereld op straat, met Emilio's plannen en later, op heftige wijze, met de sociale normen. En zo gebeurde het dat Emilio, naast het feit dat hij mijn vriend was, me in mijn respectloosheid sterkte. Om over haar nog maar te zwijgen, ons grootste schandaal, onze Rosario Tijeras.

Ik kijk nu niet meer tegen Emilio op, maar ik houd nog wel van hem. Hoewel er sindsdien niet veel tijd is verstreken, haalden de omstandigheden in ons naar boven wie we werkelijk waren, iets wat pas in de loop der jaren tot uiting komt en waarmee sommigen het verder schoppen dan anderen. Maar ik denk dat mijn genegenheid voor hem het niet had overleefd als we niet al die herinneringen aan onze duik in het leven hadden gehad. Onze schooljaren, ons kat-en-muisspel met de paters, de eerste keer in de seksbioscoop, het eerste pornotijdschrift, onze seks met de hand, onze eerste vriendinnetjes, onze eerste keer, onze vriendengeheimen, de eerste keer dronken, de namiddagen op het terras dat we niks deden behalve over muziek, voetbal en dat soort dingen praten; de eerste keer dat we stoned waren en krom van het lachen kaassoesjes aten, het huisje dat we huurden in Santa Elena om in alle rust te drinken en jointjes te roken en waar we vrouwen mee naartoe namen om het met hen ochtend te zien worden, datzelfde huisje waar Emilio zijn eerste nacht met Rosario doorbracht en ik daarna ook, de enige.

Zij was het die ons losrukte uit die jeugd, die we nog lang niet achter ons wilden laten. Zij was het die ons in de wereld zette, die onze weg in tweeën splitste, die ons liet zien dat het leven anders was dan ons altijd was voorgehouden. Het was Rosario Tijeras die me liet voelen hoe snel een hart kan kloppen en me liet zien dat mijn eerdere liefdesperikelen maar simpele akkefietjes waren; zij toonde me de suïcidale kant van de liefde, die extreme situatie waarin je alleen nog maar door de ogen van de ander kijkt, waarin stront je dagelijkse kost is, waar de rede zoek is en je bent overgeleverd aan de genade van diegene op wie je verliefd bent.

Elke keer als ik mijn jeugdherinneringen en die met Rosario ophaal, denk ik dat alles makkelijker was geweest als ik mijn mond had opengedaan. Emilio heeft nooit iets geweten van mijn angst als we op school in het donker lege flessen op de trap zetten zodat de paters er in het schemerduister over zouden struikelen. Hij heeft ook nooit geweten van mijn angst als we in El Dorado pornofilms gingen kijken, hij wist niet van mijn schaamte toen hij voorstelde om samen te masturberen met de eerste *Playboy* die we in handen kregen, hij heeft nooit geweten waar mijn eerste kus naar smaakte of van mijn vroegtijdige orgasme bij mijn eerste keer. Laat staan van mijn gevoelens voor haar, want mijn stilzwijgen was al even onmetelijk als de liefde waaronder ik leed. Ik wekte veel wantrouwen en achterdocht, maar ik had nooit mijn mond open durven doen om te zeggen 'ik hou van je', 'ik sterf van verlangen', 'al heel lang sterf ik van verlangen naar jou'.

'Wat is er met je, maatje?' vroeg Rosario.

'Ik sterf,' antwoordde ik.

'Ben je ziek?'

'Ja.'

'En waar heb je pijn?'

'Overal.'

'En waarom ga je dan niet naar de dokter?'

'Het is niet te genezen.'

Meer heb ik nooit gedurfd. Ik hoopte dat Rosario als door een hemels wonder verliefd op me zou worden, dat zij het zou zijn die van liefde zou spreken of dat een kus zou volstaan om aan het licht te brengen wat onze ineengestrengelde tongen niet durfden uit te spreken.

'Hoe ken je Emilio eigenlijk?' Dit keer was zij het die vroeg.

'Van toen we klein waren,' zei ik. 'Van de lagere school.'

'En zijn jullie altijd zulke goede vrienden geweest?'

'Altijd.'

Ik bespeurde in Rosario's woorden een achterdocht die verder ging dan gewoon nieuwsgierigheid. Ze nam veel tijd voor zulke simpele vragen. Mijn vermoedens werden bevestigd toen ik doorkreeg waar ze heen wilde.

'Hebben jullie nooit ruzie gehad?' vroeg ze door.

'Nooit.'

'Zelfs niet om een vrouw?' vroeg Rosario door.

'Nee.'

'Stel je voor, maatje,' eindigde ze, 'dat ik Emilio met jou zou bedriegen...'

Meestal reageer ik in dit soort situaties met een dom gegrinnik. Dat is een nogal laffe reactie waarmee ik elke stellingname uit de weg ga, heel anders dan de glimlach waarmee Rosario dit keer haar ondervraging als geëindigd beschouwde. De hare was zelfverzekerder, alsof ze iets in haar schild voerde, en volgens mij ook niet helemaal af, want ineens gingen haar lippen weer op elkaar, alsof ze niet op het geplande vooruit wilden lopen, en vervolgens weer open, precies zoals ze die nacht opengingen toen Rosario, hijgend en bezweet onder mijn lichaam, opnieuw glimlachte.

Ik heb er lang over nagedacht wat Rosario daar nou mee bedoelde. Ik vroeg me af waarom ze in godsnaam Emilio ontrouw wilde zijn met mij als ze het met de keiharde jongens al was en wist dat Emilio's reactie niet verder ging dan een driftbui die met een wip of twee weer was gesust. Ontrouw met je beste vriend liet natuurlijk dodelijke wonden achter. Maar waarom wilde ze Emilio nog meer pijn doen? Waarom wilde ze ons tegen elkaar opzetten? Na veel gespeculeer kwam ik uit bij het allerergste: bij de valse illusies.

Rosario maakt avances naar me, dacht ik.

Rosario wil iets met me, dacht ik ook.

Rosario vindt me leuk. De uiteindelijke leugen.

Zonder dat er iets was gebeurd, had ik al het gevoel dat ik mijn beste vriend had verraden. Ik kon hem niet meer aankijken zoals vroeger, ik kon niet meer met hem over haar praten zoals ik dat normaal gesproken deed, ik vermeed het haar naam uit te spreken opdat er geen verliefde toon in zou sluipen die me zou verraden, en als ik het toch over haar moest hebben, keek ik de andere kant op, zodat hij de fonkeling in mijn ogen niet zou zien.

Ik weet nu zeker dat mijn liefde goed verborgen bleef en dat er nooit iemand iets heeft gemerkt. Al had ik dolgraag gewild dat zij iets had vermoed, dat een of ander gebaar haar alles had verteld wat ik door mijn lafheid niet kon uitspreken; misschien had zij dan wel het initiatief genomen of me op het onderwerp aangesproken, ik weet het niet. Misschien vertel ik haar alles wel als ze uit de operatiekamer komt en wat hersteld is; vooral nu er zoveel tijd is verstreken, zou ik het haar kunnen vertellen als iets uit het verleden en zouden we er zelfs om kunnen lachen, wie weet zou ze me zelfs verwijten dat ik het niet eerder had gezegd. Misschien zou ze toegeven dat zij ook gek op mij was, maar dat zij ook bang was om het te bekennen. Misschien mag ik straks naar binnen om haar te zien, misschien pak ik haar hand wel en vertel ik haar alles, zodat dat het eerste is wat ze hoort als ze wakker wordt.

'Is het uw vriendin of uw zus?' vroeg de oude man tegenover me, die wakker was geworden.

'Geen van beide,' antwoordde ik. 'Een vriendin.'

'Je kunt wel zien dat u veel van haar houdt.'

Maar wel te laat, dacht ik, zoals alles met mij. Of misschien wist iedereen het wel, maar had niemand wat gezegd, opdat alles bij het oude zou blijven, opdat er geen verdriet werd gedaan, opdat niemand iemand zou verliezen, opdat de keten die ons bijeenhield niet verbroken zou worden. Ik heb altijd gedacht dat er in de liefde geen koppels of driehoeksverhoudingen bestaan, alleen maar een rij waarin je houdt van degene die je voor je hebt, en die weer van degene die hij voor zich heeft, enzovoort. Degene die achter me staat houdt van mij en de volgende in de rij houdt weer van hem enzovoort, maar altijd houden we van degene die ons de rug toekeert, en van de laatste in de rij houdt niemand.

'Mijn zoon is daarbinnen,' onderbrak de oude man me weer. 'Ik heb hem halfdood hier gebracht, ze hadden hem bijna vermoord.'

Ik bedacht dat zijn zoon een van Rosario's vrienden zou kunnen zijn. Het had Ferney kunnen zijn als ik niet de zekerheid had dat hij dood was, het kon een van de velen zijn die ik op hun feesten had leren kennen, en hoewel ik niet zeker weet of Rosario hem zou kennen, kan ik met stelligheid zeggen dat hij wel zou weten wie zij was.

'Als uw zoon bijkomt,' zei ik tegen de oude man, 'zeg hem dan maar dat Rosario Tijeras naast hem ligt.'

'Ligt Rosario daar?' vroeg hij verrast.

'Kent u haar dan?' vroeg ik nog veel verraster.

'Mijn God, maar natuurlijk!' zei hij alsof het heel vanzelfsprekend was 'Wat is er met haar gebeurd? Wat hebben ze met haar gedaan?'

'Hetzelfde als met uw zoon,' zei ik.

'Nee, niet hetzelfde. Het is heel wat anders om kogels in het lichaam van een vrouw te zien. Veel pijnlijker,' zei hij. 'Arm kind. We hadden haar al heel lang niet gezien, ze zeiden ons zelfs dat ze al vermoord was.'

Ik weet niet waarom ik huiverde toen hij dat zei, want Rosario en de dood waren twee onafscheidelijke gedachten. Je wist niet wie wie verpersoonlijkte, maar ze waren een en hetzelfde. We wisten dat Rosario elke ochtend opstond, maar we wisten nooit zeker of ze 's avonds wel weer terug zou komen. Als ze een aantal dagen zoek was, gingen we van het ergste uit: het telefoontje in alle vroegte ergens uit een ziekenhuis, uit het mortuarium, ergens van de straat, met de vraag of wij iemand zus en zo kenden die ons telefoonnummer in haar tas had. Gelukkig belde ze altijd zelf, met een warme begroeting, een 'daar ben ik weer' of 'ik ben terug', blij om ons weer te horen. Ik kwam weer tot mezelf, ik kon opgelucht ademhalen, het maakte me niet uit hoe laat ze belde. Ze belde me bijna altijd wakker, maar het maakte me niet uit, het belangrijkste was te horen dat het goed met haar ging, dat ze terug was; al belde ze alleen maar om af te tasten hoe het ervoor stond met Emilio, het kon me niet schelen. Ik was de enige die haar vrolijk onthaalde, want ik weet dat Emilio, en waarschijnlijk ook Ferney, hun blijdschap niet lieten zien, dat konden ze gewoon niet.

'Alle mannen zouden moeten zijn zoals jij, maatje,' zei Rosario vaak tegen me. 'Je hebt geen idee wat voor schoften het zijn, Emilio, Johnefe, Ferney, allemaal, alleen jij niet.'

Dat was het enige moment waarop ik blij was dat mijn liefde niet werd beantwoord. Ik voelde me de belangrijkste persoon in haar leven. Het was een voldaanheid die slechts een paar minuten duurde, maar genoeg om me Rosario's man te voelen, de man van haar dromen, de man die ze zou hebben als de anderen er niet waren. En met die gedachte waren mijn twee minuten in de wolken

voorbij en kwam ik weer hard met mijn gat op aarde terecht, naast de anderen, die Rosario op de een of andere
manier wél bezaten.

'En de keiharde jongens?' vroeg ik. 'Zijn dat geen
schoften?'

'Wie? De jongens?'

'Voorzover ik weet zijn het niet echt jongens meer,'
zei ik.

'Ja, maar zo noemen wij ze nou eenmaal,' verduidelijkte Rosario.

Ik weet wie ze met 'wij' bedoelde, maar ik vermoedde, hoewel ik een hekel heb aan vermoedens, dat ze het
over de andere Rosario's had, haar al even mooie en linke
vriendinnen in het avontuur.

'Ze zijn allemaal even schofterig, maatje, allemaal,'
zei ze. 'En misschien word jij dat ook wel als je een
vriendin hebt.'

Vriendin? dacht ik; ik kon me háár niet eens voorstellen in die rol, raar was dat, ik hield waanzinnig veel van
haar, maar ik kon me haar niet aan mijn zijde voorstellen.
Ik had nooit het woord 'vriendin' of zo in mijn hoofd als
ik aan haar dacht. Meer dan een woord was Rosario een
beeld dat ik voor mezelf had geschapen, zonder bena-
mingen, zonder eigendomsrechten, zoiets simpels maar
tegelijkertijd ook zo complex als 'Rosario en ik'.

'Wat ik niet begrijp, is die rare gewoonte van vrouwen om zich schofterig te laten behandelen en vervolgens te gaan lopen klagen,' verweet ik haar.

Ze trok haar schouders op en liet ze weer zakken: het

onherroepelijke antwoord, de houding die je aanneemt tegenover dingen die je niet wilt veranderen. Maar haar woorden hadden me verwoest. Ze had het over een vriendin die ik zou hebben, uiteraard niet zijzelf, en stelde ook nog dat ik die schofterig zou behandelen. Ze had niet in de gaten dat ze met mij hetzelfde deed toen ze zichzelf uitsloot; ze wist dat ik anders was, want dat had ze gezegd, maar ze sloot zichzelf uit, en zo waren we allebei even slecht af.

'Dat is geen rare gewoonte, maat,' zei ze, 'maar als ze allemaal zo zijn, kan je daar gewoon niks aan veranderen.'

En ik dan, Rosario?! schreeuwde ik in gedachten. En ik dan? Net beweerde je nog dat ik anders was! schreeuwde ik vanbinnen, maar ik durfde mijn mond niet open te doen om ernaar te vragen, om mijn uitzonderingspositie op te eisen, de plek die ik verdiende. Ik perste mijn lippen op elkaar om nog harder te schreeuwen, om haar te verwijten: en ik dan, Rosario?! Ik weet niet of wat er toen gebeurde een walgelijk toeval was of dat ze uit mijn stilte een echo had opgevangen, maar zonder dat ik haar iets had gevraagd zei ze: 'Jij, maatje, jij bent helemaal te gek.' En ze strekte haar arm uit om me de vijf te geven.

10

Medellín ligt ingesloten tussen twee bergarmen. Een geologische omhelzing die ons allemaal in dezelfde ruimte opsluit. Je droomt altijd van wat er achter die bergen ligt, hoewel het ons moeite kost uit dit gat weg te gaan; het is een haat-liefderelatie met gevoelens die je je eerder bij een vrouw zou voorstellen. Medellín is als zo'n ouderwetse moederkloek met een hele kinderschare, een trouwe bidster, vroom en bezitterig, maar ook een verleidelijke moeder, een hoer, weelderig en stralend. Wie weggaat keert terug, wie haar verloochent bedenkt zich, wie haar beledigt verontschuldigt zich en wie haar aanvalt zal ervoor boeten. Er is iets heel vreemds met die stad aan de hand, want ondanks de angst die ze ons inboezemt, ondanks het verlangen om er weg te gaan dat we allemaal wel eens hebben gehad, ondanks het feit dat we haar vele malen hebben gedood, wint Medellín het uiteindelijk altijd.

'We zouden hier weg moeten gaan, maat,' zei Rosario op een dag huilend. 'Jij, Emilio en ik.'

'Waarheen dan?' vroeg ik.

'Ergens heen,' zei ze. 'Naar de sodemieter, voor mijn part.'

Ze huilde en daar was de situatie ook naar. We zaten sinds een tijd met z'n drieën in het buitenhuisje opgesloten en gooiden alles naar binnen wat je maar gebruiken kon, wat er maar te krijgen was. Emilio lag zijn drugsroes uit te slapen en Rosario en ik zaten huilend te kijken hoe het licht werd.

'Deze stad maakt ons kapot,' zei ze.

'Je moet de stad niet de schuld geven,' zei ik. 'Wij maken haar kapot.'

'Dan neemt ze nu wraak, maatje,' zei ze.

Rosario was nogal opgefokt van een weekend met de keiharde jongens teruggekomen en had ons gevraagd een paar dagen mee de stad uit te gaan. Ze vertelde ons niet wat er gebeurd was, ook later niet, ook niet tegen mij, maar aangezien haar wil wet was, deden we haar een plezier en gingen we naar het buitenhuisje. Onderweg bedacht ik dat die opvliegendheid van Rosario niet nieuw was, ze was al een hele tijd zo, en hoewel ze maar af en toe drugs nam – een sociale gebruiker noemen sommigen dat –, bracht ik haar toestand in verband met een toename van haar gebruik. Ik had wat afstand genomen, zoals ik wel vaker deed, want dit keer leek haar relatie met Emilio in een van die bloeiperiodes te zitten die met een hoop gefeest en een hoop seks naar een hoogtepunt gingen. Daarom hield ik me liever wat op de achtergrond. Maar juist die euforie stortte hen in opgefokte, nerveuze stemmingen die ons nog verder van elkaar vervreemdden, zo erg dat ik twee maanden lang niets van ze hoorde. Tot Emilio me op een avond belde en me vroeg met hem mee te gaan naar Rosario's flat.

'Ze is bij hen,' was het eerste wat hij zei, maar het leek hem niet te kunnen schelen. Hij was afwezig, je zag dat hij aan andere dingen dacht terwijl hij praatte, voorzover hij überhaupt kon nadenken.

'Je hebt geen idee wat we hebben doorgemaakt,' zei hij, maar hij vertelde niets. Ik merkte dat hij veel van Rosario had overgenomen, dat geheimzinnige gedoe, dat koketteren met het gevaar, die behoefte aan mij.

'Laat me niet in de steek, man,' smeekte hij me. 'Blijf bij me tot ze terugkomt.'

Ik bleef niet echt van harte. Emilio was niet te verdragen, hij ergerde zich dood aan elk kleinigheidje, hij kon van geen gesprek de draad vasthouden. Hij vroeg me geld te leen om drugs te kopen en uiteindelijk moest ik met hem mee, hij kon geen seconde alleen zijn, tot in de douche moest ik bij hem blijven.

'Je bent helemaal naar de klote, Emilio.' Ik maakte van mijn hart geen moordkuil. 'Waarom gaan we niet gewoon naar jouw huis. Daar ben je beter af.'

Hij antwoordde met een paar trappen, maar kwam vervolgens huilend, smekend en om vergeving vragend om mijn nek hangen, of ik alsjeblieft bij hem wilde blijven tot zij terugkwam. Ik was niet in staat hem in de steek te laten, het deed me verdriet hem zo te zien. Bovendien was ik zelf ook bang. Ik had het voorgevoel, en ik vergiste me niet, dat ik vroeg of laat net als hij zou eindigen.

Na een dag of drie kwam Rosario terug en vroeg ons mee de stad uit te gaan. Ze was over de rooie maar we mochten geen vragen stellen. We stapten in haar auto en vertrokken. Emilio was heel nerveus en ging liever achterin, ik ging voorin naast Rosario zitten, en hoewel ik haar vroeg mij te laten rijden, stond ze erop dat zelf te doen. En terwijl ze bij haar volle verstand al een idioot achter het stuur was, verloor ze dit keer elke notie van snelheid, controle of verkeersregels. Emilio waagde het te protesteren.

'Ga je ons doodrijden of zo?!' zei hij. 'Rij eens wat langzamer, ik heb het op m'n zenuwen de laatste tijd.'

Ik zakte dieper in mijn stoel, greep me vast aan de randen en strekte mijn benen uit, alsof ik ermee kon remmen. Maar dat was niet nodig, want Rosario remde zo hard dat Emilio naar voren vloog en tussen haar en mij in terechtkwam. Zo hard dat de auto achter ons tegen ons op knalde. Het geraas van glas en blik leek Rosario koud te laten, maar Emilio, die arme Emilio, niet.

'Ben je zo nerveus, zeikerd!' schreeuwde ze in zijn gezicht. 'Waarom ga je niet lopen, dan relax je misschien een beetje.'

'Lopen?!' zei Emilio. 'Wind je nou niet zo op.'

'Nee,' zei ze, 'ik wind me helemaal niet op, jij maakt het ernaar! En nou uitstappen, klootzak!'

'Nou moet je niet overdrijven, Rosario,' bemoeide ik me ermee.

'Bemoei je er niet mee of je kunt ook uitstappen!' dreigde ze.

Tot overmaat van ramp kwam daar ook nog de eigenaar van de auto achter ons aanlopen en klopte bij Rosario op het raampje. Terwijl ze het omlaag draaide, gebaarde ik naar de man dat hij weg moest wezen. Hij had geen idee bij wie hij achterop was gebotst.

'Nou, jongedame, eens kijken hoe we dit oplossen,' zei hij vriendelijk, 'want ik heb de indruk dat u nogal onbesuisd remde, of niet?'

'Onbesuisd?!' zei Rosario. 'Nou, meneer, ik rem zoals het mij uitkomt, of zijn er soms regels voor hoe je moet remmen?'

'Wie achterop rijdt betaalt,' zei Emilio, nog steeds tussen ons tweeën in geklemd, terwijl ik naar de man bleef gebaren dat hij weg moest gaan.

'Bemoei je er niet mee, Emilio, het is mijn auto!' zei ze. 'Zo, en wat hebt u te zeiken, meneer?' zei ze tegen de man, en ze stapte met haar handtas uit de auto, niet voordat ze had gekeken of haar pistool erin zat.

'Rosario!' schreeuwden we tevergeefs.

We konden niet goed zien wat er achter ons gebeurde, want de achterruit was wel gebarsten, maar hij zat nog op zijn plek. We zagen ternauwernood Rosario's gestalte vlak naast die van de man. Vervolgens hoorden we een schot dat ons deed verstijven en het ergste deed vrezen. Ze stapte snel in en knalde het portier dicht.

'Ga achterin zitten, eikel!' zei ze tegen Emilio, die nog steeds voorin hing.

Ze trok op met piepende banden en reed nog harder dan voorheen.

'Wat is er gebeurd, schat, wat heb je gedaan?' vroeg Emilio, maar ze antwoordde niet.

'En, heb je het met hem geregeld?' vroeg ik.

'Geregeld? Natuurlijk heb ik het geregeld,' antwoordde ze eindelijk.

'Hoe dan?' wilde Emilio angstig weten.

'Onbesuisd,' zei ze, meer voor zichzelf dan tegen ons, en ze deed tot we aankwamen haar mond niet meer open.

In het huisje ging het al niet veel anders toe, misschien nog wel erger. We waren nog niet binnen of Rosario haalde bergen tevoorschijn van alles wat je maar in je lichaam kunt stoppen: coke, bazooka, marihuana en zelfs pillen van de apotheek, die ze over het bed uitstrooide en in groepjes verdeelde. Emilio en ik dachten dat Rosario, als ze die man van de auto werkelijk iets had aangedaan, waarschijnlijk zou gaan eten en dik zou worden om zichzelf te straffen voor haar misdaad, maar ze vroeg geen moment om eten.

'Ze is van menu veranderd,' fluisterde Emilio in mijn oor.

'Of misschien heeft ze die man wel niks gedaan,' zei ik. 'Heeft ze hem alleen bang gemaakt.'

We zijn er nooit achter gekomen. Gedurende de dagen dat ik bij hen was, sprak Rosario maar weinig, en eten en slapen deed ze ook niet veel. Voorzover ik merkte, hadden ze ook geen seks. Wat we wel in overvloed hadden, waren drugs, en zelfs ik ging over de schreef. We werden drie kamikazepiloten die om het hardst streden wie er het eerst het loodje zou leggen, drie doorgedraaide zombies die elkaar verwondden met hun snijdende woede en hun bijtende wrok, die elkaar pijnigden met hun stilzwijgen, die met behulp van de drugs hun gevoelens tot zwijgen brachten en alleen maar naar elkaar zaten te kijken en slikten. En na een tijd, ik weet niet meer hoe lang, huilde Rosario, huilde Emilio en toen ik me niet meer kon inhouden, ik ook, zonder precies te weten waarom. Als er al een reden was, zou je kunnen zeggen om alles, want je gaat huilen op zo'n moment dat je ziel van alles overloopt. Later, ik weet weer niet wanneer, gaf ik er op een helder moment de brui aan en ging naar huis.

Ik liet ze alleen achter. Een maand lang hoorde ik niks van ze, ik wist niet of ze nog in het huisje zaten en in wat voor toestand, zelf was ik druk met mijn herstel. Bij mij thuis was het door mijn schuld een gekkenhuis, en dat werd nog erger toen ze me binnen zagen komen, toen ze me op mijn knieën om hulp zagen vragen. Alhoewel ze me niet begrepen, want ze dachten dat ik van de drugs af wilde die je lichaam en je aderen vervuilen en niet van die andere, die onderlangs en via je ogen binnenkomt, die zich in je hart vreet, die vervloekte drug die de naïevelingen onder ons liefde noemen, maar die net zo schadelijk en dodelijk is als de drugs die je op straat in pakketjes kunt krijgen.

'Hoe kom je hiervan af?' smeekte ik mijn ouders, maar ze begrepen me niet.

Op een vroege ochtend belden Emilio en Rosario op. Ze zaten er nog steeds en waren er nog beroerder aan toe dan hoe ik ze had achtergelaten. Ze vroegen me te komen, ze hadden me dringend nodig, het was een zaak van leven of dood. Rosario voerde het woord.

'Ik ga dood als je niet komt,' zei ze, met een andere stem dan anders en met een zieltogend, maar vooral tweeslachtig 'ik ga dood' en een smekend en dwingend 'als je niet komt'. Verder zei ze niets, alleen deze ene zin, maar genoeg voor mij om meteen bij haar, bij hen, op de stoep te staan. Hoewel ik wist dat zij het was toen ik haar zag, ontschoot haar naam me als een vraag, alsof ik haar nooit eerder had gezien.

'Maatje,' zei ze, terwijl ze haar gezicht tegen het mijne drukte. 'Maatje, ik ben zo blij dat je gekomen bent.'

Emilio begroette me als een bezetene. Hij omhelsde me en gaf me een reeks onverklaarbare klopjes op mijn rug, hoewel ik in zijn gezicht geen blijdschap bespeurde om me te zien, maar eerder paniek. Ik weet niet of het door mij kwam of door wat ze doormaakten, maar de angst had hem onherkenbaar vervormd. Op dat moment besefte ik hoe het voor mijn familie moest zijn geweest om mij thuis te zien komen; net zoals ik bij Rosario deed, hadden zij mijn naam vragend uitgesproken, alsof ze hun zoon niet herkenden.

Het was die keer dat Emilio met het verhaal aankwam dat hij een vent had vermoord en zij meteen duidelijk maakte dat niet hij het was geweest maar zij, en hij weer dat ze het allebei waren, maar goed.

'Ik was het, maatje,' hield Rosario vol. 'Ik ben hier degene die moordt.'

Ik kon er niet achter komen of het waar was. Misschien was het misdrijf eerder een product van hun waanvoorstellingen, van hun overmatige drugsgebruik, van hun isolement. Ik twijfelde ook of ze het hadden over de man die op onze auto was gebotst – misschien had ze hem echt vermoord –, of misschien een ander, een nieuwe, ik weet het niet, hun gedachten waren zo warrig en chaotisch dat ik er nooit achter ben gekomen wat er tijdens mijn afwezigheid was gebeurd. Later, toen ze weer bij zinnen waren en ik hun naar het incident vroeg, kon geen van beiden zich zelfs iets herinneren. Ze hadden amper een vaag besef van de hel waar we in het huisje doorheen waren gegaan.

Toen ik de reden voor hun telefoontje hoorde, had ik spijt dat ik naar ze toe was gegaan. Ze zeiden dat ze geld nodig hadden en ik bood hun grootmoedig het weinige aan wat ik nog had. Maar dat was niet wat ze zochten.

'Nee, maatje,' zei Rosario, 'we hebben een hóóp poen nodig.'

'Maar hoeveel dan?' vroeg ik door.

'Een hoop, man, een hele hoop,' zei Emilio.

Het probleem was echter niet de hoeveelheid, maar de plek waar het geld vandaan moest komen en de manier waarop ik, unaniem door hen gekozen, het daar zou moeten gaan opeisen.

'Zeg maar gewoon dat ik je gestuurd heb,' zei Rosario.

'Maar waarom ik?' vroeg ik benauwd. 'Waarom gaan jullie niet?'

'Omdat ze mij nu niet willen zien,' legde Rosario uit.

'En waarom zouden ze je dan geld geven?'

'Omdat ik het vraag,' zei ze. 'Onthou goed: je moet

zeggen dat ik jou heb gestuurd om het netjes te vragen, onthou dat: netjes.'

'Hoezo?' vroeg ik door, nog benauwder. 'Hoe bedoel je "netjes"?'

'Zij snappen het wel, maatje, doe jij nou maar wat ik zeg.'

'En waarom ga jij niet?' zei ik tegen Emilio.

'Ik?!' antwoordde de lafbek. 'Dat snap je toch wel? Ik ben haar vriend!'

'Hé, maatje,' zei Rosario, pogend haar geduld te bewaren, 'als je ook maar een beetje van me houdt, doe dit dan voor me.'

Als je ook maar een beetje van me houdt... dacht ik. De liefde die met een van haar ergste wapens schermt. Natuurlijk hield ik van haar, maar hoeveel hield zij van mij als ze me in dit soort toestanden betrok? Hoe diep moest ik zinken om haar 'als je ook maar een beetje van me houdt' tegenover haar of mezelf te bewijzen? Wat heeft chantage in de liefde, waarin alles is geoorloofd, voor waarde? Zouden er mensen zijn die van lafaards houden? Van de laatste in de rij?

'Maar waarom zoveel geld?' veranderde ik van onderwerp.

'Stel nou niet van die domme vragen,' zei Emilio. 'Ga je, ja of nee?'

'Natuurlijk gaat hij,' zei ze, en ze pakte liefdevol mijn hand vast. 'Natuurlijk ga je.'

Door haar smerige spelletje ontdekte ik de uiterste grens van de liefde, het kritieke punt waarop het me niet meer uitmaakte om voor Rosario te moeten sterven. Ik zag haar met mijn hand tussen de hare zitten, met haar tedere ogen, al was haar blik geveinsd, met haar tong die tevergeefs haar lippen probeerde te bevochtigen, en ik kon, ik wilde geen nee tegen haar zeggen. De schaamteloosheid waarmee ze me gebruikte, de valse genegenheid van die handen, van die ogen, die tong, het kon me allemaal niet schelen. Ik had niks te verliezen, want verloren was ik al.

'Wat moet ik dan doen?'

'Niks,' zei ze, alsof dat zo was. 'Alleen naar hem vragen.'

'En wat zeg ik tegen hem?' vroeg ik. 'Meneer, doctor, heer...'

'Wat jij wil,' zei ze mierzoet.

'En als ze me vermoorden?' vroeg ik, verdoofd door haar tederheid.

'Dan begraven we je,' antwoordde Emilio, krom van het lachen.

Ze pakte mijn hand nog steviger vast en keek me nog lieftalliger en valser aan, en haar dodelijke tong kwam weer naar buiten, dit keer wat vochtiger.

'Als ze jou vermoorden, maak ik eerst hen van kant en daarna mezelf.'

'Hem' leerde ik uiteindelijk niet kennen. Tot mijn geluk liep de missie op een mislukking uit, een poging die niet verder kwam dan het portaal van het gebouw waar ze zich kennelijk schuilhielden, want de jacht op hen was reeds geopend. Het enige wat ik gedaan kreeg, was dat vijf zwaarbewapende bullebakken me een garage in sleepten om me, geïntimideerd door hun wapens, hun beledigingen en hun sinistere lachjes, aan een verhoor van een uur te onderwerpen. Maar het ergste was dat het allemaal voor niks was geweest. Toen ik naar Rosario en Emilio terugging en amper op mijn benen kon staan van het trillen, waren ze verder weg en raarder dan ooit.

'Welke poen?' vroeg Emilio.

'Waar kom jij vandaan?' vroeg Rosario.

'Je ziet ze goed vliegen, man,' zei hij.

'Wat ben jij ver heen,' zei zij, en verder hadden ze het er niet meer over.

Rosario had gelijk met haar opmerking. Ik, alleen ik kon het in mijn hoofd halen om naar die twee halve zombies te luisteren die niet eens wisten op welke plek van de planeet ze zich bevonden. Als je ook maar een beetje van me houdt... dacht ik; ze hadden me wel kunnen vermoorden daar, maar niemand had die twee van hun wolk kunnen halen, dacht ik woedend. Wat ben ik ver heen, dacht ik woedend en verdrietig.

11

Terwijl ik hier in het ziekenhuis op haar zit te wachten, herinneringen aan haar ophaal en zelfs plannen maak en zinnen voorbereid voor als ze bijkomt, heb ik het gevoel dat er niets is veranderd, dat de jaren zonder haar niet zijn verstreken en de tijd me heeft teruggevoerd naar de laatste minuut die ik met Rosario Tijeras doorbracht. Dat laatste moment toen ik, anders dan andere keren, geen afscheid nam. Ik had al meerdere malen 'vaarwel Rosario' tegen haar gezegd, moegestreden omdat ik haar niet hebben kon, maar na elk vaarwel kwam er altijd weer een 'ik ben weer terug' en in mijn binnenste het eeuwige 'ik kan het niet'. En nu ik hier zit, besef ik dat dat definitieve vaarwel evenmin het laatste was; ik ben er weer, ik lig weer aan haar voeten in afwachting van haar wensen en vraag me weer af hoe vaak het nog moet gebeuren voordat het echt de laatste keer is. Ik zou graag weg willen gaan, haar achter willen laten zoals al die andere keren. Ik heb genoeg gedaan, ik heb mijn plicht volbracht, ze is in goede handen, de enige die iets voor haar kunnen doen, het heeft geen zin meer om hier te blijven, en wat ik al eerder zei: Emilio zou hier bij haar moeten zijn, het is eerder zijn taak. Maar ik, wat heb ik hier in godsnaam te zoeken?

Maat, dacht ik terug. Mijn maatje.

Mijn voeten gehoorzamen niet aan mijn voornemens. Met veel moeite sta ik op, enkel om vast te stellen dat er niets is veranderd, de verpleegster, de gang, het ochtendgloren, de arme oude man die zit te dutten, de wandklok die op halfvijf staat. Achter het raam ontneemt een ochtendnevel het zicht op de bergen, de kerststal en de hoge wijk van Rosario worden uitgevlakt. Waarschijnlijk laat hij ook de zon niet door en krijgen we vandaag zo'n stortbui die modder en stenen meesleurt zodat het lijkt alsof het stront heeft geregend.

'Ik vind het maar niks als het regent,' had Rosario me eens gezegd.

'Ik ook niet.' En laat het duidelijk wezen dat ik dat niet zei om haar een plezier te doen.

'Het lijkt wel alsof daarboven de doden huilen, hè?'

Ik had haar maar half teruggekregen na de drugstijd in het huisje. Emilio had haar in haar flat afgezet en belde me op om me dat te laten weten. Hij was er al niet veel beter aan toe, maar hij had in elk geval een plek waar hij naartoe kon en zich niet alleen hoefde te voelen.

'Zorg jij maar voor d'r,' zei hij. 'Ik kan het niet meer.'

Ik vloog naar haar toe. Ze had de deur open laten staan en toen ik binnenkwam, zat ze naar de regen te kijken, naakt vanaf haar middel, in alleen een spijkerbroek, met blote voeten. Toen ze me hoorde, draaide ze zich naar me om en keek ik recht op haar borsten, haar donkerbruine tepels die stijf waren van de kou. Ik kende haar zo niet. In mijn fantasieën tijdens mijn eenzame seks misschien, maar zo, zo dichtbij en zo naakt...

'Jezus, Rosario, je wordt nog ziek,' zei ik.

'Maatje,' zei ze, en ze wierp zich in mijn armen, zoals altijd als ze zich reddeloos verloren zag.

Ik bedekte haar, bracht haar naar bed, stopte haar in, voelde met mijn hand op haar wangen of ze koorts had, streek haar haar naar achter en praatte liefdevol op haar in op dat softe toontje waar ze zo'n hekel aan had, maar dat ik niet kon onderdrukken toen ik haar zo zag, gesloopt, verslagen, uitgemergeld, maar vooral zo alleen en zo dicht bij me.

'Ik ben het zat, maat, ik trek het niet meer.' Ze had een flinterdun stemmetje.

'Ik zal voor je zorgen, Rosario.'

'Ik kap overal mee, maatje, overal. Ik hou ermee op, het maakt me kapot, ik ga kappen met dit slechte leven, ik ga kappen met hen, ik hou op met slecht zijn, maatje.'

'Jij bent niet slecht, Rosario.' Ik zei het overtuigd.

'Jawel, maatje, heel slecht, je weet dat dat zo is.'

Ik vroeg haar niet verder te praten, ze moest uitrusten, proberen te slapen. Ze deed gehoorzaam haar ogen dicht en zag er zo bleek uit, zo uitgeteerd, zo levenloos dat ik het niet kon vermijden me haar dood voor te stellen. Er trok een huivering van angst door me heen en ik kneep onwillekeurig in haar hand. Daarna boog ik voorover om haar ongehinderd een kus op haar voorhoofd te geven.

'Ik zal voor je zorgen, Rosario.'

Met een zucht gooide ze een deel van haar vermoeidheid eruit. Ik hoorde haar frisse lucht inademen, de goede lucht waar ze van droomde, die van haar nieuwe voornemens, ik voelde dat ze mijn hand losliet en ontspande, ik dekte haar toe tot haar hals, schoof de gordijnen dicht, sloop zachtjes naar de deur, maar ik kon het niet over mijn hart verkrijgen haar alleen achter te laten, ik ging naast haar zitten en keek naar haar.

'Ik hou heel veel van je, Rosario,' zei ik hardop, maar in de zekerheid dat ze me niet meer hoorde omdat ze diep in slaap was.

Ik bleef de dagen erop bij haar thuis om voor haar te zorgen en over haar toestand te waken. Het waren heel zware dagen. Rosario zonk razendsnel weg in haar depressie en sleurde mij erin mee. Ze probeerde tevergeefs van de drugs af te blijven, maar 's avonds moest ik onder druk van haar wanhoop de deur uit om in de meest duistere holen iets voor haar te scoren. De ochtend erop huilde ze dan weer omdat ze zich schuldig voelde over haar terugval, ze vervloekte het leven dat ze leidde en zwoer opnieuw bij haar goede voornemens.

'Ik weet niet wat beter is, doodgaan of zo doorgaan.'

'Klets toch niet, Rosario.'

'Ik meen het, maatje, het is een heel moeilijke beslissing.'

'Ga dan maar zo door.'

Wat ik in elk geval zeker wist, was dat haar angst niet aan de drugs te wijten was. Het waren de omstandigheden die haar ermee in aanraking hadden gebracht, die Rosario lieten wegzakken in dat gat dat allang gegraven was. De drugs waren het laatste middel om de pijn die het leven haar had aangedaan te verlichten, de valse afrastering die iemand aan de rand van een afgrond neerzet.

'Er moet toch een uitweg zijn,' zei ik. 'Het beroemde licht aan het einde van de tunnel.'

'Maakt niks uit.'

'Ik snap je niet, Rosario.'

'Dat beroemde licht laat niks nieuws zien, niks dat anders is dan aan het begin van de tunnel.'

Als je het goed bekijkt, klopt dat inderdaad. Het landschap bij de ingang is niet veel anders dan dat bij de uitgang. Dus dan blijft slechts de leugen over als drijfveer om te leven.

'Als het net zo'n lange tunnel is als die van jou, kan je naar binnen gaan met regen en weer buiten komen met zon, dat kan wél.'

'En wie garandeert mij dat het niet weer gaat regenen, maatje?'

Ze deed me denken aan die koppige walvissen die niet terug willen naar de zee. Wat ik ook probeerde om haar mee te trekken naar het licht, zij probeerde met behulp van mijn gewicht nog dieper weg te zinken, alsof dat was wat ze wilde. Uiteindelijk accepteerde ik dat ik niets voor haar kon doen, dat ik alleen maar aan haar zijde kon blijven en maar moest hopen dat ze na haar val weer zou opstaan.

'Als je niet tegen jezelf liegt en geen illusies hebt, gaat het je nooit lukken, Rosario,' was het laatste wat ik tegen haar zei voordat ik het opgaf.

Zelf had ik voor die formule gekozen. Ik droomde van een herstelde Rosario vol levenslust en, de ultieme leugen, vol van liefde voor mij. Een illusie die standhield tot de vraag kwam.

'Wat weet je van Emilio?'

Ik antwoordde haar de waarheid, namelijk 'niks'. Maar ik zei haar niet waarom ik niks van hem wist. Ik had haar moeten vertellen van mijn isolement en mijn toewijding aan haar, van de nachten dat ik naar haar keek terwijl ze sliep, van de mogelijkheden die ik zocht om haar uit dat gat te trekken, van het genot dat ik beleefde aan de wetenschap dat ik met haar alleen was, al was het in het diepste leed. Om deze en vele andere redenen – want over mijn jaloezie heb ik haar niets verteld – wist ik niks van Emilio of van de buitenwereld, noch welke maand, welke dag of welk tijdstip het was, niet eens mijn eigen naam, want het enige wat ik hoorde was haar 'maat, mijn maatje', dat klonk als een smeekbede en een klaagzang.

Na een tijd deden we de ramen open. Het was een goed teken van ons herstel. Een licht dat ons feller leek dan normaal stroomde het appartement binnen. We waren inmiddels gewend geraakt aan dag en nacht duisternis, aan het feit dat we opgesloten leefden alsof ons einde in zicht was, dat er tijd noch plaats meer was voor ons op deze wereld. Maar ineens hoorde ik een gordijn openschuiven, vervolgens nog een en daarna de rest. Zij was het die ze krachtig, met één ruk, opentrok. Ik moest mijn ogen dichtknijpen tegen het zonlicht, of misschien wel vanwege de hoop die weer in die ramen begon te gloren.

'Het is hier een stofnest,' zei ze. 'We moeten een grote schoonmaak houden. Zoals doña Rubi zegt: we mogen dan wel arm zijn, maar vies zijn we niet.'

'Sorry hoor, Rosario,' zei ik, 'maar over welke armoede heb je het eigenlijk?'

'Dit hier is allemaal geleend spul, maatje,' zei ze. 'Vandaag of morgen krijgen ze het in hun bol en pakken ze me het weer af.'

Ze liep de keuken in en kwam er meteen weer uit met de stofzuiger, poetsdoeken, bezems en een emmer; ze stak haar haar op, gooide een doek over haar schouder en wilde de stekker in het stopcontact steken toen ze ineens mijn verbazing zag.

'Wat sta je daar nou nog?' vroeg ze.

'Wat ga je doen, Rosario?'

'Wat gaan wé doen, zul je bedoelen,' zei ze. 'We gaan schoonmaken, maat, en doe nou maar niet alsof je achterlijk bent, kom, pak aan.'

'En waarom bel je je poetsvrouw niet?'

'Wat nou poetsvrouw, verdomme!' riep ze. 'Ik doe de woonkamer en de keuken en jij de andere kamers. En schiet nou maar op, we hebben niet alle tijd!'

Ze gaf me de spullen aan en stak de stofzuiger in het stopcontact. Het leek wel alsof zij het apparaat was en de energie uit het stopcontact kreeg. Rosario en schoonmaken? dacht ik, terwijl ik het gedeelte binnenliep dat ik moest doen, ik weet niet of ik me zorgen moet maken of me kapot moet lachen. Maar ik maakte me pas echt zorgen toen ik mezelf zag sjouwen met het gerei dat Rosario me had gegeven en waarvan ik nauwelijks wist hoe ik het moest gebruiken. Als Emilio me toch zou zien, dacht ik, en daarna moest ik onvermijdelijk serieus aan Emilio denken.

Hij zou me later zelf vertellen wat hij allemaal had doorgemaakt. Of in zijn eigen woorden: wat zé hadden doorgemaakt, want zijn familie sleurde hem heen en weer tussen dokters, psychologen en therapeuten in de hoop dat er eentje een behandeling in het buitenland zou voorschrijven of in ieder geval, wat hun opzet was, ver van Rosario. Maar al leek hij ergens in de ruimte te zweven, hij haalde altijd wel ergens de kracht vandaan om een resoluut 'ik ga niet, geen sprake van' uit te spreken, waarop zijn familie probeerde haar plan via de andere weg uit te voeren, namelijk door Rosario weg te werken. De gevolgen waren desastreus, zoals te verwachten was. Toen ik haar uit haar kamer zag komen, dacht ik eerst dat ze weer had gebruikt, ik wist nog niet dat ze een telefoontje van Emilio's familie had gehad. Laaiend kwam ze naar buiten gestormd.

'Stelletje teringlijers!'

'Wat is er gebeurd, Rosario?'

'Ik vermoord ze! Ik leg ze allemaal om, godverdomme!'

'Maar wat, wat is er dan aan de hand, wie was dat, waren "zij" het?'

'Zij?! Welke "zij"? Die teringlijers zijn veel erger dan "zij"!'

Uit haar tirade kon ik opmaken over wie en wat het nou ging. Ze was helemaal over haar toeren, de tijd verstreek, maar ze kwam niet tot bedaren, integendeel, het leek wel of het erger werd; ik vreesde voor haar gezondheid, voor haar toestand, voor haar herstel, ik dacht dat al het werk dat we met zoveel moeite hadden verzet voor niets was geweest. Ik probeerde haar tevergeefs gerust te stellen, maar ik kende haar, ik wist dat het een kwestie van geduld was. Maar ze hield maar niet op.

'Vuile teringlijers!'

'Laat ze toch, Rosario.'

'Laat ze toch?! Weet je wat ik heb gezegd? Weet je wat ik die vuile ratten heb geantwoord? Dat ze hun poen, hun goede bedoelingen, hun "we willen je alleen maar helpen", hun "het is het beste voor iedereen", hun "wij zijn nette mensen", dat ze daar maar een rolletje van moesten draaien en het in hun reet moesten steken, ha! En ik heb ook gezegd dat als er nog plek over was, ze Emilio er maar achteraan moesten stoppen.'

'Heb je dat allemaal gezegd?!'

'Dat en nog veel meer!'

Ik schaterde zo hard dat Rosario onvermijdelijk werd aangestoken, en toen ik haar zag lachen was ik wat geruster. Het vuur begon te doven, hoewel ik zeker wist – en ik vergiste me niet – dat het bij Emilio thuis nu begon op te laaien. Maar ik kon niet ophouden met lachen toen ik hun gezichten en het schandaal dat Rosario's aanstootgevende taalgebruik waarschijnlijk veroorzaakte voor me zag. Of misschien, bedacht ik later met enige wroeging, had ik meer lol bij de gedachte aan Emilio in de ingewanden van zijn familie dan om Rosario's scheldpartij.

Het incident werkte niettemin door in haar gedrag. Van de dag dat ze had besloten de ramen te openen tot het telefoontje van Emilio's familie was Rosario's toestand, en daarmee de mijne, rooskleurig geweest. We waren alleen maar met elkaar bezig, nog altijd afgesloten van de buitenwereld, hoewel we langzaam uit het duister naar boven kwamen. Nooit daarvoor of daarna hebben we het nog zo fijn met elkaar gehad, zelfs die uren van onze nacht samen niet, die vervloekte nacht die nog komen moest en die me liet geloven dat ik met Rosario naakt onder mijn lichaam gelukkig was. Nee, nu ik terugkijk, lijdt het voor mij geen enkele twijfel dat ik mijn beste momenten met haar heb gehad toen we samen het licht zochten in die tunnel waarin Rosario niet geloofde. We redden het niet tot dat felle schijnsel, maar voor mij was het stuk dat we hadden afgelegd licht genoeg om me voor het leven te verblinden. Rosario's angst had geleidelijk aan plaatsgemaakt voor tederheid. Ze verraste me met nieuwe kanten die ik altijd wel vermoed had, maar waarvan ik nooit had gedacht dat ik ze ooit zou leren kennen, laat staan dat ik ervan zou genieten. Iemand die haar in die dagen had leren kennen, had zich nooit kunnen voorstellen hoe agressief en gewelddadig ze was, hoe ze worstelde met het leven. Zelfs ik ging me de illusie maken dat Rosario van haar verleden was genezen. Ze sprak op een zachtere toon die beter paste bij haar blik, ze vertelde me met bedaarde woorden over haar plannen, over hoe haar nieuwe leven eruit zou zien, waar ze definitief mee zou stoppen, wat ze uit haar geschiedenis zou wissen om opnieuw te kunnen beginnen.

'Dat wordt mijn laatste misdaad, maat,' zei ze. 'Ik ga alles van vroeger doden.'

Ze kreeg haar rauwe schoonheid terug en de bleekheid maakte weer plaats voor haar koffiebruine kleur. Ze had haar oude charme, haar strakke spijkerbroeken, haar naveltruitjes, haar blote schouders, haar brede glimlach terug. Ze was weer zoals vroeger, maar anders, verfijnder, opener voor het leven, nog heerlijker om van te houden, en dat was ook precies het enige punt waar niets aan veranderde. Hoe kon ik stoppen met van haar te houden als ik elke dag meer van haar hield, nu haar veranderingen steeds meer beantwoordden aan mijn dromen, aan wat ik altijd van haar had verwacht? Hoe kon ik van haar houden en niet te gronde gaan, hoe kon ik ophouden haar maatje te zijn en uniek, onmisbaar worden, deel, reden, noodzaak, dagelijks brood van en voor Rosario? Hoe moest ik haar laten weten dat mijn omhelzingen voorgoed gesloten wilden blijven, dat mijn zoenen op haar wang naar haar mond wilden glijden, dat mijn woorden maar de helft zeiden? Hoe moest ik haar uitleggen dat ik al vele nachten met haar had doorgebracht, dat ik haar had meegenomen door mijn leven, dat ik me haar had ingebeeld in mijn verleden en ingevuld in de rest van mijn leven? Maar al was ze als herboren en had ze plannen en goede voornemens, al wist ik dat Emilio op zijn gat lag, dat Ferney steeds verder van huis raakte en dat de keiharde jongens op de vlucht waren voor de regering, dan nog hield mijn dilemma aan; want al zou alles veranderen, voor mij zou alles bij het oude blijven, als de eerste dag dat ik doodsbang, ofwel verliefd op Rosario Tijeras, wakker werd.

Wat was begonnen als een isolement vol problemen, veranderde in een vakantie die eeuwig had mogen duren. Zonder de flat te verlaten nam ik Rosario aan de hand mee uit wandelen. Als ik die nieuwe klank in haar stem hoorde, had ik het gevoel alsof ik midden in een groen weiland stond, waar een frisse bries langs me heen waaide en ik als een vlieger met gespreide armen de wind ving. Ik wilde dat het leven zo zou blijven, zonder indringers, zonder de ongewenste bewoners die in Rosario huisden. Ik vergaf mezelf dat ik mijn beste vriend verloren wenste, dat ik mijn familie verwaarloosde, dat ik alles had opgegeven voor een vrouw. Ik dacht dat mijn volledige toewijding het allemaal waard was, ik voelde me meer verlosser dan verrader of ondankbare en ik dacht dat alle schade die ik aanrichtte me zou worden vergeven omdat ik in naam der liefde handelde. Later kwam ik erachter dat ze me vergaven uit medelijden, omdat de mensen die ik had laten vallen de fout inzagen die ik zelf niet zien kon omdat ik er deel van uitmaakte. Hoewel het niet lang duurde voordat ik ook zover was, want na al die nachten dat ik met open mond had zitten luisteren hoe Rosario genoot van haar eigen verhalen, haar plannen en dromen, na vele omhelzingen waarmee ik haar goede voornemens kracht bijzette, nadat ze naar ik meende van haar kwalen genezen was, na dit alles werden we op een nacht door de telefoon gewekt en nam ik op – natuurlijk ik, opdat er geen enkel misverstand over kon bestaan dat ik het fout had –, ik nam op en liep naar haar kamer om haar wakker te maken.

'Een vrouw voor je,' zei ik, nog in de hoop dat het een vergissing was. 'Ze zei niet wie ze was.'

Rosario knipte haar nachtlampje aan en bleef peinzend zitten; ik dacht dat ze even nodig had om wakker te worden, maar haar verstarde houding had enkel en alleen met het telefoontje te maken.

'Geef hem maar,' zei ze uiteindelijk, en toen kwam het ergste: 'Doe de deur dicht.'

Ik hing tegen mijn zin mijn toestel op. Ik wilde graag weten of mijn bezorgdheid gegrond was, maar op zo'n directe manier durfde ik het niet; ik koos voor iets minder gewaagds en ging bij haar deur staan luisteren, maar veel ving ik niet op, alleen een reeks 'ja... ja... ja' die me langzaam naar de vloer deed zakken, waar ik, na een hoop ja's en een vernietigend 'zeg maar tegen ze dat ik eraan kom', verslagen bleef liggen. Ik hoorde haar lichten aandoen, lades en deuren opentrekken en zelfs de douchekraan opendraaien. Ik herinner me niet hoeveel tijd er verstreek voordat ze met haar reistas en de autosleutels in de hand de deur uit rende, zo afwezig en gehaast dat ze niet eens zag dat ik als een hond voor haar deur lag. Ze zei geen gedag en liet ook geen briefje ach-

ter, wat hoe dan ook een overbodige attentie was geweest. Ik had geen enkele uitleg nodig, het leven ging
weer zijn gewone gang.

'Daar gaan we weer,' zei ik, zonder dat ik kon opstaan.

12

Met de staart tussen de benen ging ik terug naar huis. Ik hoefde niks te zeggen, het stond allemaal op mijn gezicht te lezen, en dat moet intriest zijn geweest, want in plaats van verwijten kreeg ik krampachtige glimlachjes en schouderklopjes, maar niets van dat alles kon mijn intense verdriet verlichten. Het was alsof ik met grote snelheid op een muur was geknald en daar zo versuft van was dat ik niet precies kon zeggen wat ik voelde. Ik kon ook de situatie waardoor ik die enorme smak had gemaakt niet bevatten. Ik probeerde mijn gedachten op een rijtje te krijgen en een diagnose van mijn kwaal te stellen, maar niet ikzelf, maar iemand van mijn familie sloeg de spijker op zijn kop toen werd besloten het onderwerp ter sprake te brengen.

'Jij bent niet verslaafd aan de drugs, maar aan de stront,' zei die iemand.

Wie zwijgt stemt toe, en ik moest zwijgen. Het was pijnlijk om toe te geven, maar het was waar. Ik had niet de moed ze te vragen hoe je van zo'n verslaving afkwam, met welke behandeling, waar, wie me zou kunnen helpen. Ik bedacht dat als er geen plek was die me de een of andere therapie kon bieden, het voor de mensheid de hoogste tijd werd er een in het leven te roepen, want ik was er heilig van overtuigd dat ik niet de enige was. We zijn met miljoenen strontvreters die in alle stilte moeten genezen of, zoals ook zo vaak is gebeurd, aan een overdosis drek sterven.

Al die stront moet toch ergens goed voor zijn, troostte ik mezelf niettemin. Het wordt toch niet voor niks als mest gebruikt.

Nu ik terugkijk op mijn belangrijkste momenten met Rosario, denk ik dat ik niet van mijn verslaving af ben. Hier zit ik weer, net als al die andere keren dat ze me nodig had; niet meer zo ellendig als vroeger, maar altijd begaan met haar lot alsof het mijn eigen lot was. Als dat al niet zo is.

'Jij en ik, wij zijn zielsverwanten, maatje,' zei ze op een dag toen ze in een nadenkende bui was.

'Maar we zijn heel verschillend, Rosario.'

'Jawel, maar het is toch maf, neem nou Emilio bijvoorbeeld.'

'Hoe bedoel je?' vroeg ik.

'Nou, hij en ik zijn ook verschillend, maar met hem is het allemaal heel anders, snap je wel?' probeerde ze uit te leggen.

'Ik snap er helemaal niks van, Rosario.'

'Beter gezegd, het is alsof jij en ik twee kanten zijn van dezelfde medaille.'

'Ja ja.'

'Wat nou "ja ja",' zei ze geïrriteerd. 'Snap je me dan niet, of wat?'

Natuurlijk snapte ik haar wel, ik was het gewoon niet met haar uitleg eens. Maar zoals altijd durfde ik haar niet te zeggen dat het geen kwestie was van gelijkenis, maar van genegenheid, en dat als ze Emilio anders zag, haar gevoelens dat waarschijnlijk ook waren, want je gaat uiteindelijk lijken op degene van wie je houdt. Ik had haar graag zoiets gezegd, maar mijn 'ja ja' had haar al kwaad gemaakt. Ze liet me in m'n eentje achter, maar niet voordat ze me nog even had ingewreven wat ik was.

'Je wordt steeds achterlijker, maat,' zei ze. 'Met jou valt niet meer te praten.'

Heel vaak liet ze me zo staan, met een stompzinnige opmerking op het puntje van mijn tong, waarmee ik zou verdoezelen wat ik echt had willen zeggen. Met die domme grijns waarmee ik een bepaalde houding wilde verontschuldigen en en passant duidelijk maakte dat zij gelijk had.

Ik word helemaal niks, dacht ik. Dat doe jij met me, Rosario Tijeras.

Nadat ze naar hen was teruggegaan, verstreken er een paar dagen en kwam ze zoals altijd weer terug. Een telefoontje vroeg in de ochtend, de ontwijkende, schuldbewuste zinnen, de verzoenende toon, 'maat, maatje', een begroeting zonder vragen of antwoorden. Waarom ook, als we alles toch al wisten, als er toch niets zou veranderen. Rosario zette de pionnen die ze had omgegooid toen ze wegging, weer terug op het speelbord.

'En Emilio?' vroeg ze uiteindelijk altijd weer.

Ik wist al wat er ging komen. Ik zou haar een paar

droge feiten over hem geven, 'die hangt ergens rond, ik heb hem al lang niet meer gesproken', slechts de noodzakelijke informatie om niet te toegeeflijk maar ook niet onbeleefd te zijn, domweg de woorden die ze nodig had om Emilio via mij te laten weten dat hij haar moest bellen.

'Zeg maar tegen Emilio dat hij me moet bellen,' zei ze voordat ze ophing, alsof het er spontaan uit kwam, alsof ik niet wist dat ze me alleen daarvoor had gebeld.

En hoewel we weer toegaven, moest Rosario dit keer meer geduld hebben. Ik was echt dodelijk geraakt, niet door haar wapens, maar zoals altijd door mijn eigen illusies. Nooit eerder had ik me zo dicht bij haar gewaand, daarom viel ik zo hard van mijn roze wolk. Ik wilde herstellen van de klap, en in plaats van me daarbij te helpen, schaadde haar aanwezigheid alleen maar. Ik ging haar veel uit de weg, niet genoeg om mijn wond te laten helen, maar net voldoende om haar duidelijk te maken dat er iets aan de hand was, voordat ik weer aan haar voeten zou liggen. Zinloos gestampvoet van een verliefde die om aandacht vraagt.

'Wat heb je toch, maat? Vroeger was je niet zo.'

Haar bezorgdheid reikte niet verder dan deze opmerking, maar wat kon ik ook verwachten als ik haar nooit de waarheid zei, als ik zo ontzettend stom was om te wachten op het wonder dat ze het zou raden. Ik had overal genoeg van en nog wel het meest van mezelf, en dat is ook het probleem met de liefde: die verslaving, die keten, die vermoeidheid wanneer je altijd maar slaafs tegen de stroom in moet zwemmen.

Emilio heroveren ging haar evenmin gemakkelijk af. Zijn familie zat boven op hem en had hem onder medische en psychiatrische behandeling gesteld. Ze moesten en zouden Rosario uit hem drijven, al was het met stroomstoten.

'Moet je horen waar mijn pa mee kwam,' vertelde hij me in die dagen. 'Dat als ik die vrouw weer zou zien, hij me naar Praag zou sturen om te studeren.'

'Naar Praag, in Tsjechië?'

'Kun je nagaan.'

Maar het werd Praag noch iets anders: Rosario won opnieuw. Eerst van mij en daarna van hem, zoals gewoonlijk. De dreigementen en therapieën hadden niets uitgehaald, en wat nog erger was, ook de dingen die Emilio en ik met Rosario hadden meegemaakt en waardoor we op het slappe koord hadden gebalanceerd, waren nergens goed voor geweest. Ik weigerde aan de telefoon te komen, ik nam niet op om me niet te laten strikken, en als er iemand van de familie opnam, hing ze natuurlijk op. Ze wachtte af tot het dienstmeisje, haar enige bondgenoot, zou opnemen, maar ik hield voet bij stuk: 'Zeg maar dat ik er niet ben.' 'Ik moet doorgeven dat ze weet dat je er wel bent.' 'Dan zeg je maar dat ik ziek ben.' 'Ik moet doorgeven dat ze weet dat je niet ziek bent.' 'Zeg maar dat ik dood ben!' 'Ik moet doorgeven dat je niet mag doodgaan want ze kan niet zonder jou.' En zo bewerkte ze me van dag tot dag, geduldiger dan ik, met doorzettingsvermogen, want dat was het eerste wat het leven haar had bijgebracht. Totdat mijn weerstand brak: 'Zeg maar dat ik er niet ben.' 'Ik moet doorgeven dat ze op het kerkhof op je wacht.' 'Op het kerkhof?! Hoezo dat? Geef haar maar.'

'Hallo? Rosario! Wat ben je van plan?'

'Maatje,' zei ze. 'Eindelijk.'

'Wat is er aan de hand, Rosario? Wat wil je?'

'Je moet met me mee naar het kerkhof, maatje.'

'Hoezo dan, wie is er dood?'

'Mijn broer,' zei ze met een droevige stem.

'Hoe dat nou? Je broer is toch al een hele tijd dood.'

'Jawel,' legde ze uit. 'Maar ik moet zijn cd verwisselen.'

Ze had me gesmeekt met haar mee te gaan, het was zijn sterfdag en ze kon het niet opbrengen om alleen te gaan.

Kerkhoven geven me hetzelfde soort prettige, duizelige gevoel als de achtbaan. Een plek met zoveel doden schrikt me af, maar de wetenschap dat ze netjes liggen opgeborgen stelt me weer gerust. Ik weet niet wat er zo aantrekkelijk aan is, misschien de opluchting dat we er nog niet tussen liggen, of misschien juist het tegenovergestelde, de behoefte om te weten hoe het voelt om daar te liggen.

Het San Pedro-kerkhof is uitzonderlijk mooi, heel wit en met veel marmer, een traditioneel kerkhof waar de doden boven elkaar rusten, heel anders dan die moderne, die er eerder uitzien als een verzamelplaats van kitscherige bloemvazen. Er zijn ook praalgraven waar beroemdheden met hun families liggen en die worden bewaakt door enorme standbeelden van stilzwijgende beschermengelen. Naar een ervan, zonder standbeelden maar bewaakt door twee jongens, nam Rosario me mee.

'Hier is het,' zei ze plechtig.

De twee jongens gingen als erewachten in de houding staan zodra ze haar zagen.

'En wie zijn dat?' vroeg ik.

'Die passen op hem,' zei ze.

'Hoezo dat?'

'We hebben er al veel opgeruimd, maar er lopen nog een hoop ploerten rond,' legde ze me uit. 'De satanisten waren zo dol op hem dat ze een keertje hebben geprobeerd zijn lijk te stelen. Arme stakkers. Hoe gaat ie, jongens?'

'Hoe gaat ie, Rosario?' antwoordden ze tegelijkertijd. 'Goed, of niet?'

Ik werd zo in beslag genomen door wat ik zag dat ik dacht dat de muziek van buiten kwam, maar toen ze haar tas opendeed en de jongens de cd's gaf, besefte ik dat de muziek recht uit het graf kwam, een afgrijselijk schel geluid van een geluidsinstallatie die achter tralies stond en door bloemen gecamoufleerd werd. Rosario wisselde een paar woorden met hen, waarna ze een stapje terug deden om haar de privacy te geven om te kunnen bidden. Ik ging wat dichterbij staan. Ik knielde niet, maar kon wel lezen wat er op de grafsteen stond: 'Hier ligt een toffe gozer', en naast het opschrift een nogal vage en vergeelde foto van Johnefe. Ik liep er nog wat dichter naartoe, ondanks het volume van de geluidsinstallatie.

'Dat is zijn laatste foto,' zei Rosario.

'Hij lijkt wel dood,' zei ik.

'Hij was ook dood,' zei ze, terwijl ze de volumeknop van het apparaat wat terugdraaide. 'Dat was toen we met hem rondliepen. Nadat hij was vermoord gingen we met hem op stap, we namen hem mee naar de plekken waar hij het liefst kwam, we draaiden zijn muziek, we dronken en namen drugs, we deden alles wat hij altijd leuk vond.'

Nu begreep ik de foto. In de wazigheid kon ik een paar bekende gezichten onderscheiden: Ferney, iemand wiens naam ik niet meer weet en Rosario zelf. Deisy zag ik niet. Ze zagen er nog dooier uit dan de dode zelf, hadden flessen sterkedrank bij zich, een enorme gettoblaster op hun schouders en droegen in het midden Johnefe op hun armen.

'Och arme,' zei Rosario, en ze sloeg een kruis.

Ze schikte de vreemde mengeling van rozen en anjers die het graf sierden een beetje, zette het geluid weer harder en wierp hem met een droevig gezicht een langdurige kus toe, zo liefdevol dat ik daar zelf wel had willen liggen.

'Tot ziens, jongens. Jullie passen toch wel goed op hem, hè?'

Toen de beschermengelen hun armen ophieven om haar uit te zwaaien, zag ik bij allebei onder hun navel een pistool in hun spijkerbroek gestoken zitten. Ik nam Rosario bij de hand en versnelde mijn pas, ik wilde weg daar, ik was zo van de kaart dat ik er niet bij nadacht toen ik Rosario argeloos vroeg: 'Denk jij dat je broer in vrede kan rusten met die keiharde muziek?'

Ik zag haar woeste blik door haar zonnebril heen. Het was al veel te laat om haar uit te leggen dat het een grapje was. Haar reactie was echter niet zo heftig als ik had verwacht; dat kon ze zich ook niet veroorloven nadat ze zoveel moeite voor me had moeten doen. Het gaf me een goed gevoel.

'Wat klets je toch uit je nek, maat,' zei ze, terwijl ze mijn hand losliet en daarmee de overwinning waarvan ik zojuist had geproefd verzuurde.

Dat bezoek was het voorwendsel om weer bij elkaar terug te komen, om voor het laatst samen te zijn, want dit was het begin van een langgerekt afscheid, van het verbreken van een band waarvan ik eigenlijk al dacht dat ik er voorgoed mee zou leven. Maar goed, het trio was dus weer compleet.

'Dit keer houden we het clean,' zei Emilio tegen ons. 'We gaan het verstandig aanpakken.'

'Ik heb er niks op tegen,' zei ik.

'Ik ook niet,' zei Rosario, niet erg overtuigend.

Het waren beloften die hielpen om onze hereniging te rechtvaardigen, de goede voornemens waarmee je jezelf voor de gek houdt als je terugvalt.

Emilio was een paar dagen later opgedoken. Ik weet niet hoe het weerzien was geweest, maar ik neem aan hetzelfde als eerdere keren. Hij wilde wel graag weten hoe het mijne was geweest, dus vertelde ik hem van het kerkhof.

'En heb je hun achternaam gezien?' zei hij, terwijl hij me bij mijn schouders greep.

'Welke achternaam?' vroeg ik, volkomen afwezig.

'Die van Johnefe natuurlijk, die van Rosario.'

'Ik heb helemaal niet op een achternaam gelet.'

'Enorme oen die je bent,' zei hij nu, terwijl hij zijn hoofd vastgreep. 'Dat was dé kans om achter Rosario's achternaam te komen.'

'En waarom wil jij haar achternaam weten?' zei ik. 'Je lijkt je moeder wel.'

'Dat is het niet,' legde hij uit. 'Maar het is nogal raar om niet te weten hoe je vriendin heet, of niet?'

'Rosario Tijeras.'

'O, man!' Hij gaf zich gewonnen. 'Waarom loop je er niet met me mee naartoe, dan kijk ik zelf wel.'

'Omdat ik daar niet meer heen ga,' zei ik ernstig. 'Wie daar in de buurt komt, wordt koud gemaakt.'

Ik stelde Emilio voor dat hij maar in Rosario's handtas moest zoeken als hij zo nodig wilde weten wat haar achternaam was, dat hij maar op haar identiteitsbewijs of een ander document moest kijken.

'En jij denkt dat ik daar zelf nog niet op was gekomen?' zei hij. 'Heb je dan niet gezien dat ze die tas nog mee in bad neemt?'

'Dat is vast vanwege het pistool,' zei ik.

'Wie weet wat ze er nog meer in heeft zitten. Misschien als ze slaapt...'

'Dan al helemaal niet. Zo licht als zij slaapt...'

'En hoe weet jij dat ze licht slaapt?' vroeg Emilio, en zijn toon veranderde.

Omdat ik continu naar haar had zitten staren terwijl ze sliep, dacht ik, en ik had gezien dat haar ogen bewogen, zelfs als ze dicht waren. Omdat ze ze opendeed zodra ik met mijn hand over haar naakte huid streelde, om me eraan te herinneren dat ze verder niets meer wilde, dat wat er tussen ons was gebeurd maar voor één nacht was geweest, een spel tussen vrienden, een dronkemansslippertje.

'Nou, zo wantrouwend als zij is...' antwoordde ik op Emilio's vraag, mijn gedachten ontvluchtend.

Ik herinner me nu weer dat we een paar dagen daarop onze kans kregen. Ze was naar beneden gegaan om iets bij de portier op te halen en had haar handtas binnen ons bereik laten liggen. Terwijl Emilio hem doorzocht, stond ik op wacht bij de deur om de lift in de gaten te houden.

'En?' vroeg ik vanaf mijn post. 'Wat zit erin?'

'Allemaal rotzooi,' antwoordde Emilio. 'Het pistool, een lippenstift, een spiegeltje...'

'In haar portemonnee, sukkel! Kijk in haar portemonnee.'

'Daar zit ook niks in,' zei hij. 'Een prentje van Maria van Altijddurende Bijstand, nog eentje van het Goddelijke Kind, een foto van Johnefe – wel godverdomme!'

'Wat is er?!'

'Een foto van Ferney, lul!'

'En wat dan nog?'

'Hoezo "wat dan nog"?' antwoordde hij. 'Ze heeft

wel een foto van hem en niet van mij. Nu zal ze het mee-maken.'

Ik deed de deur van het appartement dicht en verliet mijn uitkijkpost. Ik pakte Emilio de tas af en zei dat hij me moest aankijken.

'Hoor eens, Emilio: als jij je mond opentrekt en er iets van zegt, dan zijn we allebei dood, gesnopen?'

'Maar hoezo heeft ze nou nog een foto van die go-zer?!'

'Gesnopen?' vroeg ik hem nog eens nadrukkelijk.

Daarmee was de zaak afgedaan. Emilio moest zijn woede en nieuwsgierigheid bedwingen. Rosario wist haar mysterie uitstekend te bewaren. Het was onmoge-lijk om meer over haar te weten te komen dan ze zelf ver-telde. Ik bedenk nu ineens dat ik er helemaal niet bij had stilgestaan waar haar tas was, wie hem in die chaos in de discotheek in handen had gekregen. Misschien hadden ze hem daar voor haar bewaard of hadden de lui waar ze mee was hem meegenomen... Maar als ze allemaal waren weggerend, was hij misschien wel gestolen. Zou het pi-stool er nog in zitten? Misschien hebben ze haar de tas wel afgepakt om haar te ontwapenen; later moet maar eens worden uitgezocht wat daar nou precies is gebeurd.

Er was nu meer bedrijvigheid op de gang. Ik keek rond of ik een bekend gezicht kon ontdekken, misschien de arts die haar opereerde, misschien Emilio, maar ik herkende alleen de dienstdoende verpleegster, die einde-lijk wakker was geworden. De oude man zat nog steeds te dommelen en de klok stond nog steeds op halfvijf. Ik keek door het raam en de zon scheen al. Misschien zou het vandaag niet regenen, maar ik zou een dezer dagen echt eens een horloge moeten kopen.

13

Een week voordat Ferney werd vermoord, zagen we hem bij Rosario's flat rondhangen, maar zonder dat hij binnen durfde te komen. Hij parkeerde zijn motor een straat of twee verderop en verstopte zich in de buurt van het gebouw tussen de bosjes, maar ondanks al dat gedoe zagen we hem toch. De eerste keer dachten we dat hij binnen zou komen zodra hij Emilio zou zien weggaan, maar dat was niet zo. De dagen erop installeerde hij zich steeds op dezelfde plek, en Rosario vertelde ons dat hij daar tot diep in de nacht bleef zitten.

'En waarom loop je niet naar beneden om te kijken wat hij moet?' stelden we voor.

'Waarom zou ik?' zei ze. 'Als hij iets van me wil, komt hij maar naar boven.'

'Ik vind het maar raar,' zei Emilio.

Een tijdje later besloot hij uit de bosjes te komen en ging hij op het trottoir aan de overkant zitten. We wisten niet of hij zich liet zien omdat hij wist dat hij ontdekt was of omdat het deel uitmaakte van een strategie. Hij kwam in ieder geval 's ochtends al, voordat Rosario wakker werd – wat hoe dan ook niet bepaald vroeg was –, en bleef totdat zij het licht in haar kamer uitdeed. Hij zat de hele dag naar haar raam te kijken, net zoals hij destijds in de discotheek toekeek als Emilio en Rosario dansten, toen hij haar al voorgoed had verloren.

'Wat is er met hem?' vroeg Emilio onrustig. 'Is hij soms weer verliefd of zo?'

Hoe naïef kun je zijn, dacht ik. Alsof je Rosario uit je hart kon bannen en haar daarna weer terug kon zetten. Als je eenmaal van haar hield, was het voor altijd, waarom zit ik anders hier in dit ziekenhuis? Wat ik in elk geval zeker wist, was dat Ferney enkel en alleen uit liefde deed wat hij deed, want een andere reden om in weer en wind onder een raam te blijven zitten is er niet.

'Het bevalt me maar niks. Het bevalt me maar niks wat die gast daar doet,' ging Emilio door.

'Maar hij doet toch helemaal niks,' kwam ik voor hem op, gedreven door een verklaarbaar gevoel van solidariteit.

'Precies,' zei Emilio. 'Dat bevalt me nou net niet.'

Het was Rosario die het uiteindelijk niet meer uithield, ze was het inmiddels beu om zich bespied te voelen en voelde zich onderhand schuldig over Ferneys situatie; ze was nieuwsgierig: waarom kwam hij niet naar boven als ze hem toch heel vaak met haar hand vanuit het raam had uitgenodigd en zelfs toen ze een keer alleen was naar beneden had geschreeuwd: 'Kom toch naar boven, Ferney, stel je niet zo aan!' Waarom weigerde hij het eten dat ze hem door de portier liet brengen? Hij bleef daar maar onverstoorbaar zitten, alsof hij doof en blind was en de honger hem niets deed.

'Ik ga naar beneden,' zei ze uiteindelijk.

Emilio draaide helemaal door, hij begon wild om zich heen te slaan nog voordat er een woord over zijn lippen kwam, en toen dat dan eindelijk gebeurde, had hij beter niks kunnen zeggen.

'Hij wél, natuurlijk, maar toen ik naar de klote was door jouw schuld belde je niet, kwam je niet langs, vroeg je niet naar me, maar natuurlijk, hij wél!'

'Hoor eens, Emilio,' zei ze, met een sleutel zo dicht bij zijn gezicht dat ik dacht dat ze het open ging snijden. 'Hoor eens, Emilio, niemand heeft jou naar de klote geholpen, jij was al zo toen je geboren werd en als je hier een scène gaat schoppen, kan je opduvelen.'

'Prima!' zei hij. 'Als jij graag met die schurftkop blijft zitten, prima, dan ben ik pleite, maar dan zul je me ook echt niet meer terugzien.'

Voordat Emilio zijn dreigementen had uitgesproken, had de liftdeur zich al achter Rosario gesloten. Hij nam de trap en ik rende naar het raam om de ontknoping niet te missen. Eerst kwam zij naar buiten. Ik zag hoe ze de straat overstak en langzamer ging lopen naarmate ze Ferney naderde. Daarna kwam Emilio, die in zijn auto stapte, de deur dichtknalde en met piepende banden wegscheurde. Ik deed het raam open om te luisteren, maar volgens mij praatten ze niet. Als ze al iets tegen elkaar zeiden was het fluisterend of met blikken, zoals mensen dat doen die van elkaar houden. Ik zag hoe ze naast hem ging zitten, schouder aan schouder, ik zag hem zijn hoofd in haar schoot leggen, alsof hij huilde, en ik zag hoe ze hem met haar lichaam toedekte, alsof ze een klein dier tegen de elementen wilde beschermen. Ik zag ze lang zo zitten, en toen bedacht ik hoe moeilijk het leven was en aan de rij verliefden en aan de laatste in die rij van wie niemand hield, en ik vroeg me af of het Ferney was of ik. Daarna zag ik dat ze hem bij de hand nam, hem hielp met opstaan en hem zonder hem los te laten mee naar het gebouw loodste. Ik verloor ze uit het oog totdat ik ze de flat zag binnenkomen en zag doorlopen naar de keuken. Ik hoorde het gerinkel van borden en bestek en een ongemakkelijke stilte die me eraan herinnerde dat drie er één te veel is.

'Het leven kan raar lopen, maat,' herinnerde ik me ook dat Rosario me eens had gezegd. 'De dag dat Ferney zijn beste klus afwerkte, die dag verloor hij mij.'

'Dat kwam door hen, of niet?'

'Hm hm,' zei ze. 'Die dag leerde ik ze kennen.'

'Je hebt me nog steeds niet verteld hoe je ze hebt leren kennen,' klaagde ik.

'Tuurlijk heb ik je dat wel verteld.'

Het gebeurde toen Johnefe en Ferney samen naar Bogotá waren gereisd om een klus voor La Oficina op te knappen. De vrouwen waren naar een buitenhuis gebracht terwijl de jongens het karwei klaarden, en ze hadden afgesproken elkaar later te treffen.

'Zo rond middernacht kwamen ze,' vertelde Rosario me. 'Johnefe en Ferney waren er al. We waren flink aan het feesten en zij leken er ook wel zin in te hebben. Ze waren heel vrolijk en hadden muziek bij zich, vuurwerk, drugs, nog meer vrouwen, nou ja, je weet wel. Maar ze waren heel oké en erg aardig, vooral tegen mij.'

Ik kon het me helemaal voorstellen, ik zag ze als gieren rond het aas cirkelen. Niet dat Rosario dat was, maar ik werd al woest bij de gedachte dat ze verlekkerd naar haar keken, met een wellust die je aan hun enorme pensen en hun kwaadaardige lachjes kon aflezen. En ik vergiste me niet, want ze vertelde me zelf wat ze had opgevangen.

'En wie is dat mooie grietje daar?' had de hardste van allemaal gezegd. 'Breng dat snoepie eens bij mij.'

En aangezien dat 'snoepie' wist om wie het hier ging, liet ze zich zonder blikken of blozen naar hem toe brengen. Ze had vast haar loopje aangepast, zoals altijd wanneer ze zich wil laten zien, ze keek hem vast aan zoals ze doet wanneer ze iets wil, en ze glimlachte ongetwijfeld naar hem zoals ze dat naar mij deed die avond toen ze wat van me wilde.

'En Erley,' vroeg ik. 'Wat trok die voor gezicht?'

'Ferney,' verbeterde ze. 'Ik heb zijn gezicht niet gezien.'

Je was niet in staat om hem aan te kijken, Rosario Tijeras; dat zei ik niet, maar ik weet dat het zo was omdat ze ons ook niet aankeek als ze met hen meeging en omdat ze mij ook niet kon aankijken toen ze amper bedekt door een laken naakt naast me lag.

'En Johnefe?' vroeg ik door.

'De kleine moet zelf weten wat ze doet,' had Rosario hem horen zeggen.

Ik kende haar toen nog niet, maar ik weet dat we haar die dag allemaal verloren. Ook zij raakte de vroegere Rosario kwijt, en alles wat ze ooit geweest was, kwam ergens in het archief van haar bewustzijn terecht. Op dat moment maakte haar leven de omslag die haar uit de ellende haalde en naast ons neerzette, aan onze kant van de wereld, waar afgezien van het geld niet zoveel verschillen bestaan met de wereld die zij achter zich liet.

'Op dat moment is mijn leven veranderd, maatje.'

'In gunstige of ongunstige zin?' vroeg ik, nog nijdig.

'Ik kwam uit de armoede,' zei ze. 'Dat is al heel wat.'

Nadat Rosario Ferney in huis had genomen, bleef hij er nog minstens een week. Ik nam wat afstand, maar niet zoveel als Emilio, die helemaal van het toneel verdween. Ik onderhield in elk geval nog ons dagelijkse telefonisch contact en ging af en toe langs. Ik vroeg niets, ook niet wat er met Ferney aan de hand was of waarom hij bij haar was gebleven, ik wilde niets weten, me niet eens voorstellen wat er tussen hen gaande was, of ze met elkaar naar bed gingen, of ze had besloten bij hem terug te komen, helemaal niks; ik verweet haar ook niets, met welk recht, een nacht samen gaf me helemaal nergens recht op. Maar wat wel klopte, was mijn voorgevoel dat Ferney zijn laatste kruit in dit leven aan het verschieten was, hoewel ik meteen ook vaststelde dat niemand hier enige garantie heeft, en dat zeg ik omdat ik tijdens een van mijn bezoekjes Rosario voor een drama behoedde, of voor de schrik van haar leven, want vaak beslist het lot binnen een seconde voor het een of het ander. Rosario

had van haar mensen de gewoonte overgenomen om kogels in wijwater te koken voordat ze een weloverwogen
bestemming kregen. Dit keer was ze vergeten ze van het
vuur te halen, en het water was natuurlijk allang ver-
dampt. De kogels stuiterden rond in de pan, en ik weet
niet waar ik de moed vandaan haalde, maar ik trok hem
van het vuur en hield hem onder een straal koud water.
In die paar seconden schoten alle mogelijke scenario's
door me heen: hoe Rosario de keuken binnenliep en door
een waanzinnige kogelregen werd getroffen, hoe ikzelf
met die gloeiend hete pan in mijn handen stond en ineens
voordat ik bij het water was bam!, hoe Rosario en ik levenloos op de keukenvloer lagen, neergeschoten vanaf
een fornuis. Met mijn handen onder de blaren, bleek alsof de explosie echt had plaatsgevonden, kwam ik bij haar
aan.

'Rosario, moet je kijken!' zei ik met een benepen
stemmetje.

'Wat is er met je gebeurd?'

'De kogels.'

'Welke kogels?' vroeg ze, maar meteen schoten ze
haar weer te binnen. 'Godallejezus, de kogels!' En ze
stoof naar de keuken zonder me te vragen wat ermee was
gebeurd. Waarschijnlijk was ze gerustgesteld toen ze de
kogels in de tot de rand met water gevulde pan zag liggen. Toen ze terugkwam, lag ik uitgestrekt op haar bed
met mijn geopende handen in de lucht, alsof ik wachtte
tot iemand me uit de hemel een bal zou toewerpen.

'Ik weet niet waar ik zit met mijn hoofd,' zei ze, zonder aandacht te schenken aan mijn handen.

'Wat spook je allemaal uit, Rosario?' vroeg ik.

'Niks, maatje. Die kogels zijn niet voor mij,' zei ze. 'Ik heb je beloofd dat ik zou veranderen.'

Er viel een stilte en we keken elkaar recht in de ogen, ik om er de waarheid in te vinden en zij om me die te laten zien. Maar ondanks haar eerlijke blik snapte ik nog steeds niet wat die kogels daar in haar keuken deden. Uiteindelijk kon Rosario mijn dwingende blik niet langer verdragen.

'Ze zijn voor Ferney.'

Haar gezicht betrok. Het leek wel alsof ze ging huilen. Ze tastte met haar hand naar een plekje om te gaan zitten totdat ze de hoek van het bed vond. Ik hoorde haar diep inademen. Ze greep met haar ene hand de andere vast alsof ze zich aan een vreemde hand vastklampte, alleen om mij te zeggen wat ze anders nooit uitsprak.

'Ik ben bang, maatje.'

Ik leunde op mijn ellebogen om overeind te komen. Mijn handen voelden nog steeds aan als twee gloeiende kolen en ik hield ze voor me uit, maar niet ver genoeg om Rosario uit haar angst te trekken.

'Wat is er allemaal gaande, Rosario?'

Ik zag haar vingers met het scapulier om haar pols spelen, ik zag haar de andere kant op kijken om de juiste woorden te vinden, om kracht te verzamelen zodat haar stem niet zou breken, om te wachten tot haar hart langzamer zou gaan kloppen.

'Ik ben bang dat ze Ferney vermoorden, maat. Hij is

erin geluisd en nu willen ze hem vermoorden.'

Ik wist niet wat ik moest zeggen. Ik zweeg en zocht naar de eerste de beste zin waarmee ik haar angst kon verlichten. Ik vond geen woorden die het dreigende onheil konden weren, niets hoopgevends, niet eens een leugen.

'Ferney is het enige wat ik nog heb.'

Misschien het enige wat je nog hebt uit je verleden, Rosario, want als je zou willen, zou ik er altijd voor je zijn en zou je verder niets nodig hebben, zei ik in stilte tegen mezelf, verdrietig dat ze me had buitengesloten. Maar ik moet bekennen dat ik me troostte met mijn eigen egoïsme en jaloezie, want ik kon er niet omheen een zekere opluchting te voelen bij de gedachte dat ze alleen en weerloos was, zonder dat er iemand probeerde beslag op haar te leggen. Alleen, met enkel mij als toevluchtsoord.

'Waarom lig je daar zo?' vroeg ze me ineens, van onderwerp veranderend.

'Hoe bedoel je "zo"?'

'Met je handen zo,' legde ze uit terwijl ze me nadeed, 'alsof ze een bal naar je gaan gooien.'

'Ik heb mijn handen verbrand. Aan de pan.'

Een schaterlach vaagde haar tragedie weg en gaf haar haar schoonheid en de glans in haar ogen terug.

'Laat eens zien, ik kijk wel even,' zei ze, en ze kwam naar me toe. Ze pakte mijn handen vast met een zachtheid die niet van haar leek. Ze bracht ze naar haar mond en begon te blazen, ze verkoelde ze met een adem zo koud dat ik dacht dat Rosario inderdaad een brok ijs had vanbinnen, ijs dat haar passie noch haar energie deed smelten en dat haar bloed koel hield opdat het haar nooit aan wilskracht zou ontbreken om te doen wat ze deed.

'Wat ben je toch een sukkeltje,' zei ze, en ze gaf me een zoen op de rug van mijn handen. 'Daarom hou ik zo van je.'

Omdat ik een sukkeltje ben. Ik wist niet of ik nou moest huilen of lachen. Kreng dat je bent, beledigde ik haar in gedachten, maar zij bleef met mijn handen tussen de hare zitten blazen zonder me aan te kijken, met een spottend lachje waardoor ik me een nog veel grotere sukkel voelde. Maar toen ze daarna haar ogen sloot en mijn vingers op haar wang legde en zichzelf ermee begon te strelen, zichzelf liefkoosde op die zachte manier die me nog steeds vreemd voorkwam, bedacht ik dat het de moeite waard was om me zo te voelen.

14

Hij werd hoe dan ook vermoord. Ik wist niet wanneer hij was weggegaan uit Rosario's flat of waar hij in verwikkeld was, we hadden het niet meer over hem gehad. Ons leven leek weer zijn normale gangetje te gaan en we maakten twee vrij rustige weken door. Emilio was met hangende pootjes teruggekomen, ik kreeg ongevraagd mijn dagelijkse portie stront voorgeschoteld en vrat het. Rosario leek veel na te denken. Emilio genoot, ik moest afzien. Op een vroege ochtend, toen we in haar flat waren blijven slapen, kwam de krant binnen, met Ferneys foto tussen de politieberichten. Ik zag hem het eerst, Rosario en Emilio waren nog niet op. Ik las het bericht bij de foto, waarin hij werd beschreven als een levensgevaarlijke crimineel die was omgekomen bij een politieoperatie. Ik keek nog eens naar de foto om er helemaal zeker van te zijn; het was hem, met naam en toenaam en met een nummer op zijn borst opdat niemand eraan zou twijfelen dat hij gevaarlijk was en een strafblad had. Ik rende naar hun kamer maar was zo verstandig om me in te houden. Ik moest aan Rosario denken, aan hoe ik haar het nieuws moest brengen, aan wat haar reactie zou zijn. Ik moest eerst met Emilio praten en samen met hem iets bedenken, maar hij sliep nog. Ik legde mijn oor tegen de deur om iets op te vangen wat erop zou duiden dat ze al wakker waren, maar nee, en de tijd tikte door, maar nee, ze werden niet wakker. Toen ik het niet langer uithield, liep ik naar de deur en klopte ik aan. Emilio antwoordde met een gebrom.

'Emilio,' zei ik van buitenaf. 'Telefoon voor je.'

Zodra ik dit had uitgesproken, rende ik naar de woonkamer om de hoorn van de andere telefoon op te nemen; net voordat hij wilde ophangen omdat er niemand aan de lijn was, kreeg ik Emilio bij zijn laatste 'hallo' te pakken.

'Emilio!' zei ik met gedempte stem. 'Kom je kamer uit, ik moet met je praten.'

'Waar zit jij dan?' zei hij slaapdronken.

'Hier, sukkel!' Ik kwam amper boven de telefoontoon uit. 'Maar niet zeggen dat ik het ben.'

'En waarom ben je niet binnengekomen?' wilde hij weten.

'Dat gaat niet, stommeling. Kom er nou maar uit want ik moet met je praten.'

'Laat me slapen.'

'Emilio!' In de hoorn klonk nu een ingesprektoon die me tot wanhoop dreef. 'Emilio! Ferney is vermoord.'

Binnen twee seconden, alsof het gesprek niet onderbroken was, stond Emilio met een warrige haardos en gezwollen maar wijd opengesperde ogen in de woonkamer.

'Wát?!'

'Hier, kijk.'

Emilio pakte de krant voordat ik mijn vinger op de foto kon leggen. Hij ging in slowmotion zitten, terwijl hij las en de slaap uit zijn ogen wreef. Toen hij klaar was, keek hij me verbijsterd aan.

'Toe, kleed je aan, dit ziet er niet best uit,' zei ik.

'En wie gaat het haar vertellen?'

Die vraag had ik mezelf ook al gesteld. Voor ons was het ergste niet Ferneys dood, maar Rosario's reactie. We kenden haar goed genoeg om te weten dat op een dood als deze een hele reeks andere zou volgen en dat het helemaal niet verwonderlijk zou zijn als wij er dit keer ook tussen zouden zitten.

'Jij natuurlijk,' zei ik. 'Jij bent haar vriend.'

'Ik?! Ze is in staat om m'n ballen eraf te snijden. Snap het dan, ik moest die gozer niet. Vertel jij het nou maar, jou vertrouwt ze meer.'

Het oude liedje. 'Jou vertrouwt ze meer', alsof ik wat aan dat vertrouwen had; integendeel, het stond me in de weg, het schaarde me onder de vriendinnen. Daarbij werd het me door die slapjanus gegeven en weer afgepakt wanneer het hem uitkwam. Het was mooi geweest met die kutsmoesjes!

'Tuurlijk!' zei ik woedend. 'Om haar te neuken heb je zat vertrouwen, maar om de confrontatie met haar aan te gaan, ho maar!'

'Ben je nou achterlijk of hoe zit dat?' Nu begon hij kwaad te worden. 'Ze is in staat om te denken dat ik hem heb laten vermoorden, snap je dat dan niet?'

'Tuurlijk! Ik was even vergeten dat ík hier achterlijk was. Ik ben degene die zijn mond moet houden, die alles maar moet slikken, die tevreden moet zijn met kijken, de enige die vertrouwen krijgt, maar alleen om stront te vreten!'

'Hoezo?' vroeg Emilio. 'Waar heb je het over?'

Ik stond met mijn mond vol tanden en hoopte maar dat als die woede me in deze situatie had gebracht, hij me er ook weer uit zou helpen. Maar hoe het zou uitpakken, daar kwam ik op dat moment niet achter, want ineens vielen we stil en slikten van verrassing onze kreten in.

'Wat is er toch aan de hand, jongens?' vroeg Rosario, terwijl ze ons om beurten aankeek.

'Rosario!' riepen we in koor.

Onze hitte bekoelde, onze drukke gebaren verstarden. We zochten in elkaars ogen naar een antwoord, een teken, een licht, een wonder, iets wat de kluwen die daar ineens was ontstaan zou ontwarren. Maar er ontstond slechts een ongemakkelijke stilte die Rosario met dezelfde vraag verbrak.

'Wat is er toch aan de hand, jongens?'

Met mijn blik beduidde ik Emilio dat hij haar de krant moest laten zien. Emilio probeerde hem met zijn handen een beetje glad te strijken, want hij was tijdens onze ruzie verkreukeld geraakt. Daarna gaf hij hem zwijgend aan haar. Ze nam hem aan zonder goed te begrijpen waar het over ging, hoewel ik denk dat ze iets vermoedde, want voordat ze keek, ging ze eerst zitten, stopte haar haar achter haar oren en schraapte haar keel. Emilio en ik gingen ook zitten, we konden maar beter ergens steun hebben om te doorstaan wat er komen zou. Maar in plaats van de verwachte explosie kwam er een reactie die iedereen bij zo'n bericht zou hebben. Ze liet haar hoofd hangen, bedekte haar gezicht met haar handen en begon te huilen, eerst zachtjes, haar tranen bedwingend, maar daarna hard, met verstikte kreten. Ze was er kapot van. Emilio en ik keken elkaar nog steeds aan. We hadden haar graag omhelsd, haar onze schouder willen aanbieden, maar we wisten hoe overgevoelig Rosario was voor elk opdringerig gebaar.

'Ik wist het,' zei ze met horten en stoten. 'Ik wist het.'

Maar al weet je het nog zo goed, je went er nooit aan. We weten allemaal dat we doodgaan, maar toch... Dat werd pijnlijk duidelijk in Rosario's geval, waar de dood aan de orde van de dag was, het hardnekkigste nieuws, zelfs haar reden om te leven. Vele malen hadden we haar horen zeggen: 'Het maakt niet uit hoe lang je leeft, maar hoe je leeft', en we wisten dat dat 'hoe' betekende dat je dagelijks je leven op het spel zette voor een paar peso's voor een televisie, een koelkast voor je moeder, een tweede verdieping op je huis. Maar toen ik haar zo zag, begreep ik dat de dood het verdriet heel rechtvaardig verdeelt.

Zonder haar hoofd op te richten strekte Rosario haar hand uit, die precies tussen Emilio en mij in kwam te hangen, niet dichter bij hem of bij mij, maar precies in het midden. Het was Emilio die van zijn recht als vriend gebruikmaakte en hem vastpakte. Maar ze had meer nodig.

'Jij ook, maatje,' zei ze, en ik voelde dat ik onmogelijk nog meer van haar kon houden.

Ze greep onze handen stevig vast. Die van haar was vochtig van de tranen, koud als haar adem, en hij trilde ondanks het harde knijpen. Met haar andere hand veegde ze haar onophoudelijk tranende ogen schoon, streek ze het haar dat in haar gezicht viel weg en ging ze naar haar hart, dat bijna uit haar lijf sprong, waarna ze de krant van de grond raapte en hem naar haar mond bracht om een langdurige kus op Ferneys foto te drukken. Daarna kwam de verborgen Rosario tevoorschijn, de ware Rosario, die door de klap niet naar buiten had kunnen komen.

'Ik schiet ze kapot,' zei ze. Emilio en ik stopten met in haar hand knijpen. Er ging een golf van misselijkheid door me heen en ik zat levenloos in mijn stoel, met een verslagen gevoel waar Emilio me met zijn vraag meteen weer uit haalde.

'Ons ook?' vroeg hij.

Rosario en ik keken hem aan. Nu hadden we pas echt zin om hem te vermoorden. Maar toen ik hem daar zo zag staan met zijn van angst vertrokken mooie koppie, kon ik amper m'n lach houden. Ik lachte uiteindelijk niet, want er liepen al genoeg emoties door elkaar, maar Rosario kon het niet laten om te zeggen wat Emilio verdiende.

'Eikel,' zei ze, en daarna sloeg ze haar handen weer voor haar gezicht, begon ze weer te huilen en herhaalde 'ik schiet ze kapot'. En hoewel ze niet goed te verstaan was omdat haar stem verstomde zodra hij over haar lippen kwam, kon je er prima uit opmaken dat Rosario ze wilde vermoorden.

Ze vroeg ons haar alleen te laten, ze wilde uitrusten, ze moest nadenken, haar gevoelens op een rijtje zetten. Excuses die je altijd gebruikt als anderen te veel zijn. Het was begrijpelijk dat ze ons niet in haar buurt wilde hebben, maar het was ook gevaarlijk. We wisten wat ze eerder in soortgelijke situaties had gedaan. Toch vertrokken we zonder iets te zeggen, er viel niets te zeggen wanneer Rosario iets in haar hoofd had. Die avond belde ik haar voordat ik naar bed ging op met de smoes dat ik haar wilde vragen hoe het ging, hoewel ik eigenlijk wilde weten of Rosario haar wraakplan al in gang had gezet. Ze was inderdaad niet thuis. Ik kreeg haar antwoordapparaat en liet een berichtje achter met de vraag of ze me zo snel mogelijk terug wilde bellen omdat ik iets belangrijks moest vertellen, hoewel ik eigenlijk alleen maar in angst zat om haar. Die avond belde ze me niet terug, de volgende ochtend ook niet en de daaropvolgende dagen evenmin. Pas toen ik naar haar huis ging om naar haar te vragen in de hoop dat ze gewoon de telefoon niet opnam, pas op dat moment, toen de portier me vertelde dat Rosario die dag vrij kort na ons was weggegaan, werden met een schok mijn voorgevoelens bevestigd.

'Ze vroeg me om haar flat een beetje in de gaten te houden, want ze zou wel een tijdje wegblijven,' luidde het definitieve antwoord van de portier.

Ik ging meteen door naar Emilio's huis, de enige met wie ik, althans voor een deel, mijn onzekerheid kon delen. Maar in plaats van steun kreeg ik een hele reeks verwensingen voor Rosario over me uitgestort waarmee hij kennelijk niet kon wachten.

'Ik begrijp die kutgewoonte niet om zomaar te verdwijnen zonder iets te zeggen! Wat is het nou voor moeite om godverdomme die telefoon te pakken en te zeggen dat ze afnokt!'

'Ik eh...' probeerde ik te zeggen.

'Tuurlijk! Bij jou kan ze alles maken! Ik durf te wedden dat ze jou wél heeft gebeld en zelfs gedag heeft gezegd. Alsof ik niet doorheb wat er tussen jullie speelt!'

'Ik eh...' probeerde ik weer.

'Rustig maar, hoor! Als ze belt, zeg dan maar dat ze zal weten wie ik ben, en geef ook maar door dat ze in de stront kan zakken.'

Ik had niet eens de tijd om hem zijn mond dicht te meppen, wat hij eigenlijk verdiende, hij liet me met al mijn angst voor de deur van zijn huis staan. Ik wist niet wat ik moest doen, waar ik heen moest gaan, ik was volkomen van de kaart en voelde de behoefte om op z'n minst te weten hoe laat het was.

'Wat gek,' zegt de oude man tegenover me. 'Het is al licht en die klok staat nog steeds op halfvijf.'

Zijn stem haalde me terug en ik deed mijn ogen open. Hij had gelijk, het was al ochtend, ver in de ochtend, er moest inmiddels iets gebeurd zijn, er was aardig wat tijd verstreken en iets moesten ze toch weten. Het probleem was dat er niemand was aan wie je wat kon vragen, de verpleegster was verdwenen, en hoewel de gangen en de wachtkamer langzaam volliepen met mensen, zag ik niemand die me iets over Rosario kon vertellen. Het was merkwaardig, er liep niemand in uniform, al zou het me niets verbazen als de artsen zich in dit soort ziekenhuizen voor de mensen verstopten.

Toen ik wilde opstaan, was de oude man me voor en hield me tegen: 'Maakt u zich geen zorgen, ik vraag wel naar ze.'

Misschien weet hij wel hoe belangrijk het is om al deze herinneringen op te halen. Ik voelde dat hij me vroeg mijn ogen weer te sluiten en terug te gaan naar waar ik Rosario had achtergelaten toen hij me onderbrak. Maar ik ben het alweer vergeten. Het was zo'n komen en gaan met ons dat het moeilijk is me alles duidelijk te herinneren. Nu wil ik haar alleen maar terugzien, mezelf terugzien in die intense ogen waar ik sinds drie jaar niet meer in had gekeken. Ik wil in haar hand knijpen zodat ze weet dat ik er ben en er altijd zal zijn. Als ik mijn ogen weer zou sluiten, zou dat niet zijn om herinneringen op te halen, maar om te dromen van de dagen aan Rosario's zijde die komen zouden, om me voor te stellen wat ze zou maken van de nieuwe kans die het leven haar gaf, om me voor te stellen hoe ik het met haar deelde, hoe we samen ons best deden om te voltooien waar we in één nacht geen tijd voor hadden gehad, die ene nacht die zo waardevol was dat ik steeds weer mijn ogen sloot om hem met dezelfde intensiteit voor de geest te halen.

'Je hebt me geen antwoord gegeven, Rosario.' Zo was

het geloof ik allemaal begonnen.

Ze was lief, teder, ik weet niet of dat aan de alcohol lag of omdat ze zo was als ze iemand wilde verleiden. Of omdat ik haar zo zag wanneer ik het meest van haar hield. We waren heel dicht bij elkaar, dichter dan ooit; ik wist niet of dat eveneens aan de alcohol lag, of omdat ik geloofde dat ze meer van me hield, of omdat ik haar wilde verleiden.

'Geef eens antwoord, Rosario,' drong ik aan. 'Ben je wel eens verliefd geweest?'

Haar glimlach mocht dan haar mooiste antwoord zijn, maar ik wilde meer weten. Misschien wilde ik in haar woorden het wonder vinden waar ik zo op hoopte, mijn naam, uitverkoren tussen de vele namen die ze tot haar beschikking had en nog steeds heeft, uit al die namen de mijne gekozen als erkenning van de grootste liefde die iemand ooit voor haar had gevoeld. En als hij er om evidente redenen niet tussen stond, wilde ik in ieder geval weten wie dat gevoel bij haar kon opwekken dat mij kapotmaakte, maar dat in haar niet leek te bestaan.

Dit keer antwoordde ze evenmin zoals ik wilde, ze noemde mijn naam niet en ook geen enkele andere. Haar reactie was een fatale tegenvraag die me, zoals alles wat van haar kwam, niet doodde maar wel zwaar verwondde. Niet de vraag op zich, maar het feit dat ik dronken en eerlijk was en moed verzamelde om haar te antwoorden, om haar in de ogen te kijken toen ze me vroeg: 'En jij, maatje, ben jij wel eens verliefd geweest?'

15

De laatste keer dat ze bij ons terugkwam had ze langer de tijd nodig. Het duurde bijna vier maanden en we waren het onderhand beu om haar te bellen en naar haar te vragen. Voor mij was het zo'n eeuwigheid dat ik begon te denken dat Rosario voorgoed was vertrokken, dat ze haar misschien hadden meegenomen naar een ander land en dat we haar echt nooit meer terug zouden zien. Ik sprak Emilio heel weinig in die tijd. Een paar dagen nadat hij me had uitgekafferd, had hij me opgebeld om recht te praten hoe hij me had behandeld, en ook om naar haar te vragen. Ik ging zover dat ik elke dag in de krant naar haar foto zocht, op dezelfde pagina's als waar Ferney had gestaan, maar het enige wat ik zag waren de berichten over de honderden jongens en meisjes die in Medellín bij het aanbreken van de dag dood werden gevonden.

Later besloot ik Rosario's afwezigheid te beschouwen als een mooie gelegenheid om haar eindelijk voorgoed uit mijn hoofd te zetten. Met pijn in mijn hart nam ik het besluit, en hoewel ik haar niet vergat, merkte ik dat het leven beter begon te smaken. Het ontbrak uiteraard niet aan herinneringen, liedjes en plekken waar ik haar aanwezigheid voelde alsof ze me opnieuw het leven moeilijk ging maken. Gezien mijn voornemens leek het me ook zinvol om bij Emilio uit de buurt te blijven, en hij dacht er vermoedelijk hetzelfde over, want hij zocht evenmin toenadering. Maar elk verhaal heeft zo zijn keerzijde, wat in mijn geval betekende dat mijn goede bedoelingen niet lang standhielden. Slechts tot die keer dat Rosario me, zoals altijd, midden in de nacht opbelde.

Met haar gebruikelijke 'maatje' haalde ze me uit mijn slaap en deed ze me vanbinnen bevriezen. Ik vroeg haar waar ze zat en ze antwoordde dat ze terug was in haar flat, dat ze net was aangekomen en meteen mij had gebeld.

'Sorry dat het zo laat is,' zei ze, en ik deed het licht aan om op mijn wekker te kijken.

Ik vroeg waar ze al die tijd had gezeten en ze zei 'ergens', hetzelfde antwoord als altijd. Daar ergens, de halve wereld aan het uitroeien, dacht ik tijdens de lange stilte die volgde.

'En hoe gaat ie verder?' vroeg ze om maar wat te vragen, om maar een onderwerp aan te snijden en te kijken of ze me aan de praat kon krijgen. Ik was helemaal niet blij dat ze weer was opgedoken en me had gebeld, eerder het tegenovergestelde, ik voelde me moe en lamlendig bij de gedachte dat ik weer van haar moest houden.

'Het is hartstikke laat, Rosario,' zei ik. 'We kunnen beter morgen praten.'

'Ik moet je een paar heel belangrijke dingen vertellen,

maatje. Aan jou en aan Emilio, heb je hem nog gesproken?'

De reden voor haar telefoontje was uitgesproken, uiteindelijk vroeg ze altijd naar Emilio. We kenden het verhaal onderhand uit ons hoofd, het oude spelletje waarmee we elkaar met z'n drieën voor de gek hielden. Zoals iedereen graag het gevoel wil hebben dat alles zal veranderen vanwege het simpele feit dat vandaag gisteren niet is, dat de sukkel ophoudt de sukkel te zijn, dat de ondankbare van ons zal houden, dat de rotzak milder wordt of dat mensen van hun domheid genezen alleen omdat de tijd verstrijkt en alles heelt zonder littekens achter te laten.

'Hoor je me wel, maatje?'

'Nee, ik heb niks meer van hem gehoord,' zei ik. 'We hebben elkaar amper gesproken.'

'Jullie moeten echt komen,' drong ze aan. 'Ik moet iets vertellen wat jullie zal interesseren.'

'Dan bel je hem toch om te zien hoe of wat,' zei ik, en ik had enorm veel zin om op te hangen. 'Vertel het mij later maar.'

Dat spraken we af. Hoewel het haar bedoeling was dat ik het terrein zou effenen om haar dichter bij Emilio te brengen, moest ze dit keer zelf de tirade maar over zich heen laten komen, voorzover hij in staat was die over haar uit te storten. Die nacht lag ik wakker, niet omdat ik verontrust was door haar woorden, maar vanwege het onbehagen dat je voelt als je beseft dat er niks verandert.

Een paar dagen later stonden Emilio en ik weer in haar flat, niet echt van harte en met een chagrijnig gezicht, alleen maar om aan te horen wat Rosario ons voor interessants te vertellen had. Je voelde dat ze stond te popelen om ons te zien of om althans kwijt te kunnen wat ze voor zich had moeten houden. Ze zag er moe en opgebrand uit, en hoewel ze niet dik was, moest ze dat wel zijn geweest, want ze probeerde ons te misleiden door het overtollige vet in haar normale kleren te persen terwijl ze beter wat ruimere kleren had kunnen aantrekken.

'Bedankt voor het komen, jongens,' begon ze. 'Ik weet dat jullie heel pissig op me zijn, maar ik heb jullie gevraagd om te komen omdat jullie het enige zijn wat ik nog heb op deze wereld.'

Ze was staand begonnen met praten en reeg haar woorden met moeite aaneen, maar na de eerste zinnen moest ze gaan zitten, net zoals toen ze de foto van Ferney in de krant had gezien. Ze vocht nu wel tegen de tranen, maar haar stem brak toen ze haar gevoelens liet zien, toen ze het over ons had als het enige – nu echt – wat ze nog had.

'Ik weet dat jullie het met veel dingen die ik doe niet eens zijn,' ging ze verder, 'en ik heb jullie al heel vaak beloofd dat ik zal veranderen maar ik doe steeds weer hetzelfde, dat klopt, maar ik wil graag dat jullie begrijpen dat het niet mijn schuld is, hoe moet ik het zeggen, het is iets heel sterks, sterker dan ikzelf, dat me dwingt om dingen te doen die ik niet wil.'

We begrepen nog steeds niet zo goed waar Rosario

met haar verhaal heen wilde. Ik keek Emilio vanuit mijn ooghoeken aan en zag dat hij er net zo stomverbaasd bij stond als ik, verleid en behekst door Rosario's ogen, die naar alle hoeken schoten op zoek naar argumenten die haar daden zouden rechtvaardigen.

'Maar jullie weten niet, jongens, hoe moeilijk mijn leven is geweest, nou ja, iets hebben jullie er wel van meegekregen, maar mijn verhaal begint veel eerder. Daarom heb ik nu echt besloten dat alles gaat veranderen, want ik moet iets doen wat dat hele verleden en dat ontzettend moeilijke leven van mij helemaal wegvaagt. Maar als ik dat allemaal wil vergeten, zal ik hard moeten werken en een definitieve oplossing moeten vinden, snappen jullie wel?'

Emilio en ik keken elkaar weer aan. We begrepen er niks van, maar bleven als op afspraak zwijgen. We wilden niet praten, misschien om haar te intimideren, om niet met haar mee te hoeven denken en haar zelf maar met haar plan te laten komen.

'Kijk, jongens,' ze begon er haast achter te zetten, 'wat ik jullie wil zeggen, is dat ik zo niet verder wil leven, maar daar heb ik jullie bij nodig, ik heb verder niemand, niemand die met mij wil meedoen in de plannen die ik heb. Ik denk trouwens dat jullie ook wel interesse hebben in een verandering, want ik ga jullie iets voorstellen waarmee we nu echt definitief de armoede achter ons laten.'

Emilio en ik verstijfden, alsof we een staaf hadden ingeslikt. Haar laatste woorden hadden ons geschokt. Voor het eerst die middag zagen we haar lachen en met wijd opengesperde ogen onze reactie afwachten.

'Sorry hoor, Rosario,' zei ik, 'maar voorzover ik weet ben jij niet arm en wij ook niet.'

'Ik heb je al gezegd, maatje.' Ze stond op en begon heen en weer te lopen. 'Ik heb je al gezegd: dit hier is allemaal geleend spul en vandaag of morgen pakken ze me het weer af. En jij dan, heb jij soms wat? En jij, Emilio? Sorry hoor, maar we hebben alledrie geen reet, alles is van jullie pappies en mammies, de auto, de kleren, alles hebben jullie cadeau gekregen, jullie hebben goddomme niet eens een flat om in te wonen, of heb ik het mis?'

'Dus, wat moet je nou eigenlijk?' vroeg Emilio uitdagend.

'Als je nou ophoudt met dat bazige toontje, dan zal ik het je uitleggen,' antwoordde ze op dezelfde toon.

De bijeenkomst werd grimmiger. We waren inmiddels alledrie opgestaan en waren behoorlijk onrustig. Haar leerschool kennende was het niet zo moeilijk je iets bij Rosario's plannen voor te stellen. En ik heb toch al altijd een hekel gehad aan ruzies.

'Het is heel simpel,' legde ze uit. 'Het is een perfecte deal, ik heb alle contacten al, hier en in Miami.'

'Waar?!' onderbrak Emilio haar.

'Jee, Emilio, doe nou niet zo achterlijk,' zei Rosario. 'Je hebt er contacten hier én daar voor nodig, of wou je er soms in je eentje in stappen?'

'Alleen niet en met niemand niet!' antwoordde hij. 'Wat denk je wel, Rosario?'

'En waar denk jij dat al die coke en die bazooka die jij naar binnen hebt gewerkt vandaan komt?! Dat die uit de hemel komt vallen of zo?'

Even dacht ik dat ze op de vuist zouden gaan. Ik had geen idee hoe ik de woordenwisseling moest sussen, bovendien wist ik uit ervaring hoe duur een inmenging me kon komen te staan.

'Nou, Rosario,' zei Emilio, 'je hebt de verkeerde partners uitgezocht, vergeet niet dat wij fatsoenlijke mensen zijn.'

'Fatsoenlijk! Poeh!' reageerde ze woest. 'Jullie zijn gewoon een stel eikels, verder niks.'

'Kom, we gaan,' zei Emilio tegen me.

Ik keek naar Rosario, maar ze had het niet in de gaten. Ze stond tegen de muur met haar hoofd naar beneden en haar armen over elkaar te briesen. Emilio deed de deur open en ging. Ik wilde iets zeggen, maar ik wist niet wat. Daarom besloot ik te zeggen: 'Rosario, ik weet niet wat ik moet zeggen', maar ik kreeg de kans niet, want voordat ik mijn mond kon opendoen zei ze: 'Toe maar, maat, nok jij ook maar af.'

Ik trok met een dom gebaar mijn schouders op en liep met neergeslagen ogen de deur uit. Emilio stond aan één stuk door op de knop te drukken om naar beneden te gaan, maar voordat de liftdeur openging, zagen we Rosario haar hoofd om de deur steken en ons naschreeuwen: 'Zo zit dat met jullie! Jullie denken dat je meer bent, maar eigenlijk zijn jullie maar een stel zielige lamzakken!'

Ze knalde de deur dicht toen we in de lift stapten. We waren zo laaiend dat we niet eens in de gaten hadden dat we naar boven gingen in plaats van naar beneden.

Ik wachtte een paar dagen met haar te bellen, hoewel ik nog steeds niet wist wat ik moest zeggen. Mijn idee was de gemoederen een beetje te sussen, in het voorbijgaan wat meer te weten te komen over Rosario's plannen en, als bleek dat mijn vermoedens juist waren, te proberen haar over te halen om geen gekke dingen te doen. Ik verwachtte eenzelfde soort toestand als die we gehad hadden, maar haar reacties waren altijd zo onvoorspelbaar dat het me ook niet verbaasde haar goedgehumeurd aan te treffen. Ze zei dat ze net iets lekkers aan het koken was en nodigde me uit om het samen met haar te komen op-eten.

'Wat toevallig, maatje!' zei ze. 'Ik stond net aan je te denken bij het koken.'

Hoewel ik niet zo in dat toeval geloofde, stond ik met-een bij haar voor de deur. We aten iets wat naam noch smaak had, maar ik vond het fantastisch om haar van haar experiment te zien genieten. Daarna gingen we sa-men voor het raam zitten om naar de stad bij nacht te kij-ken, naar de twinkelende lichtjes waar Rosario zo dol op was; er woei een koele bries naar binnen, en samen met de muziek en de wijn had ik dat moment eeuwig willen laten duren. Maar ineens betrok haar gezicht, alsof alles wat mij hier zo bezielde, haar pijn deed. Ik had het idee dat haar ogen vochtig waren geworden, maar het kon ook komen door de stadslichtjes die erin gereflecteerd werden.

'Wat is er met je, Rosario?'

Ze dronk van haar wijn, en om elke twijfel weg te nemen, veegde ze haar vochtige ogen schoon.

'Van alles, maatje.'

Ze keek weer naar de stad en boog haar hoofd lichtjes naar achteren, misschien opdat de bries haar hals zou verkoelen.

'Er is van alles met me aan de hand,' zei ze. 'Ik ben eenzaam, Ferney is dood, de reis...'

Het woord kwam binnen met een doffe klap en echode hard door mijn hoofd: de reis, de reis, de reis. Ik wilde denken dat het ergens anders over ging, over een andere reis, maar ik had er niets aan om mezelf voor de gek te houden, ik wist best waar ze het over had. Ik wilde er echter niet over praten.

'Hoe is dat met Norbey gegaan?' vroeg ik.

'Ferney,' verbeterde ze me lusteloos. 'Het was afschuwelijk, je hebt geen idee hoe ze hem hebben toegetakeld, er kon geen kogel meer bij. Ik weet niet waarom ze er zoveel hebben afgevuurd, eentje was genoeg geweest. Ze waren dol van haat toen ze hem vermoordden.'

Er ontsnapten nog twee tranen, die ze met een grote slok wijn probeerde weg te slikken. Haar neus begon te lopen en ze veegde hem schoon met een servet.

'Die arme Ferney heeft er altijd last van gehad dat hij zo slecht kon mikken,' ging ze verder. 'Misschien is hij daarom wel vermoord. Hij was zo stom om de drie sca-

177

pulieren om zijn pols te binden zodat hij niet mis zou schieten, en toen had hij die op zijn hart niet meer om zich te beschermen en die om zijn enkel niet meer om weg te kunnen rennen. Wat een ei, die Ferney.'

'Maar hebben jullie hem kunnen begraven?'

'Tuurlijk,' zei ze. 'Vlak bij Johnefe.'

De wind blies haar haar in haar gezicht, en met dat gebaar waar ik zo dol op was streek ze het achter haar oren. Ze keek me aan en glimlachte naar me zonder reden, die had ik haar althans niet gegeven.

'Als je je alleen voelt,' zei ik, 'kun je me altijd bellen.'

Ik geloof dat ik haar nu wel een reden tot glimlachen had gegeven. Ze kneep in mijn bovenbeen, waarmee ze haar genegenheid placht te tonen, en zocht daarna op de tast naar mijn hand, zonder een spier te vertrekken toen ze daarbij langs de bobbel tussen mijn benen streek. Ten slotte vond ze hem, geopend, klaar om de hare te ontvangen.

'Ik zal je hard nodig hebben, maat,' zei ze. 'Ik zal je heel erg missen.'

Die nacht deed ik geen oog dicht, piekerend over een afwezigheid die definitief leek. Er kwam een angst opzetten die toenam naarmate ik langer wakker lag en me een leven zonder Rosario voorstelde. Ik dacht dat het vrijwel onmogelijk was om verder te gaan zonder haar en aan die gedachte klampte ik me vast, aangemoedigd door mijn herinneringen. Terwijl ik mijn kussen omarmde, kwamen alle gevoelens die zij in me wakker maakte weer terug, die vlinders in mijn buik, die kou in mijn borst, mijn knikkende knieën, mijn onrust, mijn trillende handen, de leegte, de zin om te huilen, te kotsen en alle andere symptomen waardoor verliefde mensen in de rug worden aangevallen. Elke minuut van die nacht werd een nieuwe schakel in de keten die me aan Rosario Tijeras vastklonk, een trede lager op de trap die me naar de bodem leidde, minuten die me, in plaats van het licht van de dageraad, een donkere tunnel binnenvoerden. Net als die van haar, waar ik haar zo vaak had proberen uit te praten. Ik kon pas een beetje slapen toen de zon al fel door de gordijnen scheen en ik gezwicht was voor het idee om Rosario in haar dollemansrit te volgen.

De dagen erop waren niet anders dan die nacht, erger nog, zou ik zeggen, met voortdurende twijfels en angsten, met de overtuiging dat ik absoluut niet zonder haar kon en met de hoop van de laatste in de rij, die zich troost met het kleine beetje dat hij krijgt, met wat er overblijft, met de kruimels die de anderen hebben achtergelaten, of, in het geval van Rosario, met de illusie dat ze nu alleen was en kennelijk niemand had behalve mij. En misschien voedde dat nog wel het meest mijn plan om haar te volgen: de beloning die ik zou krijgen voor mijn onvoorwaardelijkheid. De rest waren stukken van mijn zelfbedachte film: Rosario alleen, zonder Emilio, want ik was vastbesloten hem niks over mijn plannen te vertellen, zonder Ferney, want die was dood, zonder de keiharde jongens, want van hen wilde ze juist af; alleen met mij, in een ander land en met de voorgeschiedenis van een nacht samen. Wat kon ik nog meer van het leven verlangen.

Maar het leven geeft ons maar zelden wat we ervan verlangen en ook dit keer wilde het geen uitzondering maken. Ik belde Rosario op, vastbesloten om op haar voorstel in te gaan, al was het met een paar wijzigingen: ik zou met haar meegaan, maar niet meedoen in de deal. Ik zou haar reisgenoot zijn, ik zou met haar gaan wonen waar ze wilde, maar dat van die deal, nee, dat kon ik niet. Ik voelde echter een andere angst toen ik haar heel vaak belde maar haar niet thuis aantrof. Ik kreeg haar antwoordapparaat, maar ze belde me niet terug. Ik was wanhopiger dan ooit, want ik wist waarom ze vroeger altijd verdween, en er was geen duidelijke reden waarom Rosario zomaar weg had kunnen gaan. Ineens schoot me haar 'ik zal je heel hard nodig hebben, maatje' te binnen, en ik dacht dat dat misschien wel haar afscheid was geweest, sober, zonder veel ophef, 'ik zal je heel erg missen', een overduidelijk vaarwel dat ik op dat moment niet had begrepen. Ik ging met Emilio praten om te zien of hij me misschien uit de twijfel kon helpen, maar ik wist meer dan hij. Bovendien was het niet zo'n goed idee om hem op te zoeken.

'Zou je me een plezier willen doen,' zei hij, 'en het niet meer over haar willen hebben.'

'Rustig maar,' zei ik, 'dat gaat ook niet meer: Rosario is verdwenen.'

'Maar goed ook.'

Ik snapte niet hoe hij blij kon zijn. Vast omdat hij nooit van haar had gehouden, in elk geval niet zoveel als ik, die niet wist wat hij moest doen, waar hij heen moest of hoe hij haar moest volgen. Ik dwaalde doelloos rond op zoek naar plekken waar ik haar eventueel kon vinden; ik herinnerde me dat gebouw waar ze me heen had gestuurd om geld te halen, de steile straten van haar vroegere wijk en een enkele andere plek waar Rosario met enige regelmaat in alle geheimzinnigheid naartoe ging. Ik besloot naar haar eigen huis te gaan, misschien had ze iets tegen de portier gezegd. Portiers weten altijd iets.

'Maar natuurlijk, makker,' zei de man. 'De jongedame is net thuis. Je kunt rustig maar boven gaan.'

Ik rende zo snel als ik kon de trap op, te ongeduldig om op de lift te wachten. Ik belde en klopte tegelijkertijd aan, en na het 'wie is daar', 'ik ben het', deed ze de deur open en wierp ik me in haar armen, zoals we een dode zouden omhelzen als doden konden herrijzen.

'Ik ga mee!' zei ik. 'Ik ga met je mee op reis.'

Daarna omhelsde ze mij stevig, hoewel ik de indruk had dat dat niet van blijdschap was; ik voelde hoe ze trilde, daarom denk ik dat het angst was, en toen ze daarna mijn handen vastpakte om me te bedanken, waren ze kouder dan ooit en zo zweterig dat je ze met moeite kon vastpakken.

'Waar zat je?' vroeg ik.

'Ik was alles aan het voorbereiden,' zei ze. 'Je weet wel.'

Ik wist niets en wilde het ook niet weten. Ik vertelde haar niet over de voorwaarden waaronder ik zou meereizen. Ik durfde het niet, ik besloot het uit te stellen tot later, ik kon deze ontmoeting, die ik al bijna voor onmogelijk had gehouden, niet verpesten. Maar toen ik een ingepakte koffer bij de deur zag staan, begreep ik wel dat ik niet al te lang meer kon wachten met mijn eisen.

'Wanneer ga je?' vroeg ik.

'Wanneer gaan wé,' corrigeerde ze. 'Ik laat het je weten.'

De momenten die volgden waren zo vreemd en verwarrend dat het me nog steeds moeite kost ze duidelijk te beschrijven. Ik herinner me niet precies de volgorde waarin het allemaal gebeurde of in wat voor tijdbestek het zich afspeelde. Het was avond, dat weet ik nog wel. Ik was nog niet zo lang binnen en toen klonk ineens, geloof ik, het kabaal van een deur die in één keer werd opengetrapt. Vervolgens werd de flat bestormd door gewapende soldaten die op ons richtten en van wie er één bevelen schreeuwde. Rosario en ik werden naar verschillende kamers gesleurd, ik werd op de grond gegooid, er werd een voet op mijn rug gezet en ik kreeg een paar foto's voor mijn neus gehouden waar gigantische beloningen bij stonden; het waren de foto's van hen, de keiharde jongens, Rosario's bazen. Ik kreeg ze allemaal te zien en elke foto ging vergezeld van een ondervraging: waar ze zaten, wat mijn relatie met hen was, waarom ik ze verborgen hield, wanneer ik ze voor het laatst had gezien. Elke vraag werd kracht bijgezet door de voet op mijn rug. Er liepen mannen in en uit, er klonken alleen voetstappen en gefluister, Rosario hoorde ik niet. Ik vroeg naar haar maar kreeg geen antwoord. Toen kwam er een ander binnen die de man die het hardst schreeuwde iets liet zien, 'moet je kijken wat we hebben gevonden', ik sloeg mijn blik op, het was een pistool, Rosario's pistool, 'ze heeft geen papieren,' sprak de ander opnieuw, daarna was het weer stil, totdat degene die zo hard praatte zei 'voer ze maar af', en ik dacht dat ik haar toen zou zien, dat we samen zouden worden afgevoerd, maar dat was niet zo. Ik weet niet of ze haar het eerst meenamen, ik zag haar niet toen ze me naar buiten brachten, ook later niet, toen mijn familie mijn probleem had opgelost, en ook niet toen ik weer naar haar vroeg en me werd verteld dat andere mensen het voor haar hadden opgelost. Ik heb haar niet meer teruggezien, de dag erna niet en ook niet toen ik naar haar huis ging en de portier zei dat ze op reis was gegaan. Ik heb haar niet meer teruggezien tot vannacht, toen ik haar heb opgeraapt en hierheen heb gebracht, na drie jaar, toen ik al aan haar afwezigheid gewend was, toen de herinnering aan haar al was begonnen te slijten, tot vandaag, tot precies dit moment waarop eindelijk de arts naar buiten komt, ik geloof degene die haar heeft opgenomen. Ik zie hem met de verpleegster praten, hij wijst naar me, hij richt zijn vinger op me alsof het de koude loop van een pistool is, hij richt op me, hij komt naar me toe, zijn mondkapje hangt onder zijn kin, hij heeft een baard van een dag, hij loopt langzaam, met een zwevende tred, hij kijkt me aan terwijl hij naderbij komt, hij heeft vermoeide, rode ogen, er zit bloed op zijn doktersjas, het is hem, nu weet ik het zeker, hij heeft haar opgenomen. Hij wijst niet meer naar me, nu weet ik het zeker, nu begrijp ik het. Ik houd mijn oren dicht om niet te horen wat hij gaat zeggen. Ik knijp mijn ogen dicht om de woorden die ik niet wil horen niet op zijn lippen te lezen.

16

Zelfs de dood staat je goed, Rosario Tijeras. Verder schiet me niks te binnen als ik haar daar zie liggen. Ik was niet in staat het laken op te lichten, dat heeft iemand anders gedaan. En als ze me niets hadden verteld, had ik gedacht dat ze sliep. Zo sliep ze, met een uiterlijke rust die ze niet had als ze wakker was. Zelfs de dood staat je goed. Ik kon me haar zo mooi niet herinneren, de tijd was begonnen haar uit te wissen. Misschien zal ik het leven ooit dankbaar moeten zijn voor dit moment, anders was haar gezicht uit mijn geheugen verdwenen. Ik zou haar zo graag kussen, de smaak van haar zoenen terughalen. 'Jouw kussen smaken naar dood, Rosario Tijeras.' Emilio had me er al op gewezen en later kon ik het zelf bevestigen. Ik zei het haar toen ik haar kuste, toen we elkaar ik weet niet waarom begonnen aan te vallen nadat we elkaar hadden bemind, alsof we elkaar wilden laten boeten voor de zonde, of omdat dat haar manier van liefhebben was, of omdat de liefde zo is. We hadden best de drank de schuld kunnen geven, we hoefden elkaar niet te beledigen, geen van ons tweeën had de schuld, of allebei, zo gaat dat.

'En jij, maatje, ben jij wel eens verliefd geweest?'

Ik herinner me dat ze haar spaarzame vragen op een kinderlijk toontje stelde. Een vreemde mix van meisje en vrouw, die beschouwende toon waarmee vrouwen naar liefde vissen. Ik antwoordde haar. Heel dicht bij haar gezicht, want toen we elkaar de vragen stelden waren we al heel dicht bij elkaar. Ik hoefde dan ook niet hard te praten om ja te antwoorden, en dat ik het nog steeds was, en zij vroeg me zachtjes: 'Op wie dan?' en hoewel ze het antwoord al wist, antwoordde ik nog zachter: 'Op jou.' Er viel een stilte waarin de muziek aanzwol en de zintuigen zich scherpten om eindelijk te gaan voelen waar ze zo lang op hadden gewacht. Toen ik mijn ogen opende, kon ik al niet meer naar haar kijken, want we zaten neus aan neus, ik met mijn voorhoofd tegen het hare geleund, met mijn handen op haar bovenbenen terwijl zij de mijne streelde. We roken de dranklucht en voelden onze adem tegen onze monden, het contact van onze wangen die we steeds dichter tegen elkaar aan drukten tot onze lippen elkaar vonden, tot ze zochten en vonden; en eenmaal bij elkaar wilden ze niet meer van elkaar los, maar drukten ze zich nog steviger tegen elkaar aan en gingen ze open, beten in elkaar en doorzochten elkaar met hun tongen, ze gaven elkaar de smaak van drank en dood door, 'jouw kussen smaken naar dood,' herinnerde ik me, maar ze smaakten ook naar meer, naar wat er volgde, naar waar we verdergingen met onze handen en onze lichamen terwijl onze tanden langs elkaar krasten. Hoe kan ik het vergeten, als mijn handen eerst tintelden toen ik ze onder haar bloes stak, maar daarna alle controle verloren, we verloren de controle over onszelf, want zo is de wanhopige liefde. We scheurden elkaar de kleren van het lijf, ik rukte haar bloes van haar lijf met de aangename verrassing dat ze er niets onder droeg, zij rukte mij mijn overhemd van het lijf, en zonder onze monden van elkaar te scheiden knoopte ik haar spijkerbroek los en haalde zij haar nagels van mijn huid om die van mij los te maken; binnen een seconde waren we, al kreunend en bijtend en terwijl we handen te kort kwamen, waar we zijn wilden.

'Maatje...' zei ze, tegen mijn mond gedrukt.

'Meisje van me...' zei ik. Verder kon ik niets meer zeggen.

Wat volgde is mijn mooiste en pijnlijkste geheim geweest, en nu ze dood is, zal het voorgoed geheim blijven en nog dierbaarder en pijnlijker worden. Ik zal er dagelijks aan terugdenken opdat het altijd vers blijft, alsof het net is gebeurd. Daarom zou ik haar nu zo graag willen kussen, haar mond nog eens proeven, wetende dat haar zoenen altijd hetzelfde zullen smaken. Haar nu kussen met de zekerheid dat ze de schuld die op haar drukt niet meer op mij zal afreageren.

'Emilio heeft een grotere dan jij,' had ze daarna gezegd, toen het effect van de drank begon weg te ebben en ze het niet meer ongedaan kon maken. Er was geen licht of muziek meer, alleen het ochtendlicht dat door het raam naar binnen kwam. Ik lag naakt naast haar en zij was half bedekt door een laken. Zwijgend wachtte ze mijn reactie af, maar omdat ik die abrupte overgang van liefde naar haat niet begreep, duurde het even voordat ik reageerde. Het eerste waaraan ik dacht, voordat ik door verdriet werd overmand, was die rare gewoonte van vrouwen om altijd alles te vergelijken; daarna, toen ik al volkomen verslagen was, bedacht ik hoe ellendig mijn leven zou zijn met de herinnering aan één enkele nacht, want het leed voor mij op dat moment geen enkele twijfel dat dit het was, Rosario's reactie liet niets te raden over. Ik weet niet waar ik de kracht vandaan haalde om mijn giftige pijl op haar af te vuren en niet achter te blijven zoals zij me graag zag.

'Misschien is het geen kwestie van grootte,' zei ik, 'maar word je bij mij natter.'

Als blikken konden doden. Ze trok het laken op tot haar nek en keerde me de rug toe. Het werd al licht. Ik schoof een stukje naar haar toe, we lagen niet zo ver van elkaar af want we deelden tenslotte hetzelfde bed. Het idee dat dit de enige keer zou zijn deed me verdriet, daarom nam ik het risico om haar nog eens te laten zien wat ik haar een paar minuten geleden had gezegd. Met mijn vingers zocht ik naar haar schouders en trok ik het laken wat omlaag om een stukje huid te vinden, maar zij dook abrupt in elkaar en wees me zonder me aan te kijken terug naar mijn plek.

'Laten we maar gaan slapen, Antonio,' zei ze.

Ik trok het kussen over mijn hoofd en huilde. Ik drukte het krachtig op mijn hoofd opdat er geen lucht binnendrong en geen gehuil naar buiten kwam, om, zoals ik op dat moment wenste, naast haar te sterven nadat ik in de zevende hemel was geweest, te sterven van liefde zoals niemand dat meer doet, in de overtuiging dat ik met deze vernedering niet kon leven. Daarna liet ik het kussen los opdat ze zou horen wat ze had aangericht, wat ze met me had gedaan, en ik snikte duidelijk hoorbaar; ik hoefde niet te doen alsof, want de tranen kwamen vanzelf en bleven daarna nog lange tijd komen. Het kon me niet schelen dat ze me hoorde huilen, ik had niets meer te verliezen. Ze keek me niet aan, ze draaide zich niet om, ze zei niets. Ik weet dat ze wakker was, ze was niet zo ijskoud om zomaar in slaap te vallen; iets in haar ziel moet zich geroerd hebben, ze rilde ook toen ik luid en met weloverwogen woorden zei: 'Die schaar van jou, dat is je kut, Rosario Tijeras.'

'Dat was het, Rosario,' praat ik in stilte tegen haar verder, zoals altijd, 'het is allemaal voorbij.' Ik wil haar stervensgraag kussen. 'Ik zei het al, ik zal altijd van je houden.' Ik wil dolgraag samen met haar sterven, 'en ik zal meer van je gaan houden door alles wat me aan je herinnert, door je muziek, je wijk, elk scheldwoord dat ik hoor, zelfs elke dodelijke kogel die klinkt.' Ik pak haar hand, hij is nog warm, ik knijp erin en hoop op een wonder, het wonder van haar donkere ogen die me aankijken, of een 'maat, maatje' dat aan haar mond ontglipt, maar als dat al niet kwam toen ik wilde dat ze van me hield, dan op dit moment, nu niets het onherroepelijke nog kan herstellen, zeker niet meer. Ze heeft haar drie scapulieren nog, ze heeft er niets aan gehad. 'Je hebt je negen levens verbruikt, Rosario Tijeras.'

Je vraagt je altijd af waar God is als er iemand sterft. Ik weet niet wat ik zal doen met alle vragen die nog naar boven zullen komen of met deze liefde die me niets heeft gebracht. En ik weet ook niet wat ik zal doen met je lichaam, Rosario.

'Het spijt me, maar we hebben deze ruimte nodig,' zegt iemand kil tegen me.

Ik moet haar achterlaten, voor het laatst naar haar kijken en haar achterlaten, de laatste keer dat ik met haar samen ben, de laatste keer dat ik haar hand pak, de laatste keer, dat is wat zo'n pijn doet. Ik had niet willen weggaan zonder haar te kussen, de laatste keer, de laatste kus van de laatste in de rij. Het kan niet meer, het is te laat zoals altijd, ze wordt op de brancard weggereden uit haar laatste wereld, nog altijd zo mooi. 'Dat was het, Rosario Tijeras.'